JN050458

Scratch **3.0** 対応版

10才からはじめる

COMPUTER CODING
PROJECTS
FOR KIDS

Scratch

キャロル・ヴォーダマンほか [著]

山崎正浩 [訳]

プログラミング図鑑

Scratch **3.0** 対応版

10才からはじめる

COMPUTER CODING
PROJECTS
FOR KIDS

Scratch

キャロル・ヴォーダマンほか [著]

山崎正浩 [訳]

プログラミング図鑑

創元社

図版クレジット

P134 123RF.com: Jacek Chabraszewski;
Dreamstime.com: Pavel Losevsky
P163 Corbis: Trizeps Photography/photocuisine;
NASA; Science Photo Library: SUSUMU NISHINAGA
P173 NOAA
その他の画像 © Dorling Kindersley

Original Title: Computer Coding Projects for Kids
Copyright © 2016, 2019 Dorling Kindersley Limited
A Penguin Random House Company

Japanese translation rights arranged with
Dorling Kindersley Limited, London
through Fortuna Co., Ltd. Tokyo.

For sale in Japanese territory only.

Printed and bound in China

For the curious
www.dk.com

本書に記載されている会社名および製品名は、それぞれの
会社の登録商標または商標です。本文中では®および™を
明記しておりません。
本書で紹介しているアプリケーションソフトの画面や仕様お
よびURLや各サイトの内容は変更される場合があります。

この本を書いた人

キャロル・ヴォーダマン　CAROL VORDERMAN

英国の人気タレントで、計算能力が高いことで有名である。科学やテクノロジーに関するさまざまなテレビ番組のパーソナリティーを務め、Channel4の「Countdown」にアシスタントとして26年間出演した。ケンブリッジ大学で工学の学位を取得している。科学と技術の知識の普及に情熱を燃やし、特にプログラミングに深い関心を寄せている。

ジョン・ウッドコック　JON WOODCOCK

オックスフォード大学で物理学の修士、ロンドン大学で数値天体物理学の博士の学位を取得。8才からプログラミングを始め、マイクロコンピューターからスーパーコンピューターまで、あらゆる種類のコンピューターのプログラミング経験を持つ。ハイテク企業での研究、大規模な宇宙空間のシミュレーション、高性能ロボットを製作など、さまざまなプロジェクトの経験がある。科学や技術に関する書籍に寄稿し、監修も行っている。

クレイグ・スティール　CRAIG STEELE

コンピューター科学教育の専門家であり、楽しくクリエイティブな環境で、デジタルスキルを伸ばそうとする人を支援している。若者を対象とした無料のプログラマー道場をスコットランドに創設した。ラズベリーパイ財団、グラスゴー・サイエンス・センター、グラスゴー美術学校、英国映画テレビ芸術アカデミー、BBC マイクロビットプロジェクトの協力を得てワークショップを開いている。初めてふれたコンピューターはZX Spectrumだった。

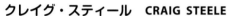

目次

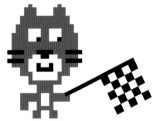

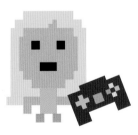

5 シミュレーション

7 ふしぎな世界（せかい）

6 音楽（おんがく）

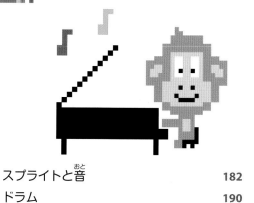

8 次はどうする？（つぎ）

本書で使われているイラストはあくまでゲームの作り方を説明するためのイメージ画像です。実際の画面の見た目とは異なることをあらかじめご了承ください。

まえがき

最近、プログラミング（プログラムを作ること）への関心が急速に高まっています。学校ではプログラミングを授業に加え、街では初心者向けの教室が開かれ、大人がプログラミングを習うため大学に戻っています。大人たちのビジネスの世界でも、プログラミングが重要なスキルになっているのです。教室や職場ではなく、家の中で楽しむためにプログラミングを学んでいる人も大勢います。

幸いなことに、現代はかつてないほどプログラミングを習いやすくなっています。昔のプログラマー（プログラムを作る人）は、プログラムの１行１行をキーボードで打ち込まなければなりませんでした。その上、プログラムで使う命令や記号は、理解しやすいものではなかったのです。ピリオド１つをまちがえた位置に打っただけで、プログラムはまったく動かなくなりました。現在では、この本で取り上げているスクラッチのような言語を使えば、おどろくほど複雑なプログラムをあっという間に作ることができます。

プログラミングが習いやすくなるとともに、コンピューターが持つ創造的な力に気づく人たちが増えてきました。この本もまた、そうしたクリエイティブな面に注目して書かれたものです。ビジュアルアート、音楽、アニメーション、特殊効果を使ったクリエイティブな作品を作るため、プログラムをどのように書けばよいのかを解説しています。ちょっと想像力を働かせれば、夜空に光り輝く花火から、音楽にあわせて回転するスパイラルまで、素晴らしくてふしぎなものをディスプレイに表示できるのです。

プログラミングは初めてという人でも心配はいりません。最初の２つの章で、スクラッチの基本を学べます。第3章からは、プログラミングのスキルをみがきながら、いろいろな作品を実際に作っていきます。プレイヤーが操作できる作品、本物そっくりなシミュレーション、ドキッとするような作品、そしてゲームも作ってみましょう。

新しいことを習う中で、大変な努力が必要になる場合もあります。でも楽しみながら学習できれば、とても速く身につくはずです。この本は、そのような考え方にもとづいて書かれています。できるだけおもしろい内容になるよう工夫しました。皆さんが、この本を楽しく読み進めてくれることを願っています。

Carol Vorderman

キャロル・ヴォーダマン

さあ、
プログラミングを
はじめよう！

プログラミングって
なんだろう？

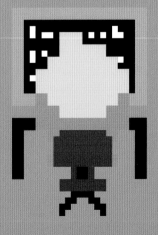

クリエイティブな世界

いろいろな場面でコンピューターが使われているね。もちろんクリエイティブ（創造的）な作業でも大活やくだ。でもコンピューターを本当に楽しんで使うには、自分でコントロールして指示を出せるようにならないといけない。プログラミングを習えば、指先一つでコンピューターから無限の可能性を引き出せるぞ。

コンピューターのように考える

プログラミングとは、かんたんに言えばコンピューターに何をすればよいか指示することだ。その指示（プログラム）を書くには、コンピューターのように考えなければならないよ。つまり、作業を細かく分けていくつものステップにする必要がある。例を使って説明しよう。

▶わかりやすいレシピにする

友だちにケーキを焼いてもらう場面を考えてみよう。でも、友だちはケーキの作り方を知らないぞ。「ケーキを作って」という指示だけでは、友だちは何をすればいいのかわからないよ。こんなときは、「卵を割る」「砂糖を加える」というようにかんたんな作業（ステップ）に分けて書いたレシピを作ろう。プログラミングはレシピを書くのににているんだ。

楽勝！楽勝！

レシピ

◀少しずつ作業を進める

さて、次はコンピューターに左のような絵をかかせる場合を考えてみよう。色のついた円が重なり合ってランダムに置かれているよ。この作業をコンピューターが実行できるよう、いくつものステップに分けてレシピのように書かなければならない。たぶん右の手順書のようになるだろうね。

レシピ

材料
1. いろいろなサイズの円
2. 7つの色

作り方
1. 画面をきれいに片づけて背景を白くぬる
2. 次の作業を10回くり返す
   a) 画面上のランダムな位置を選ぶ
   b) 円をランダムに1つ選ぶ
   c) 色をランダムに1つ選ぶ
   d) 決めた位置に選んだ円を置いて選んだ色でぬり、半とう明にする

▶ コンピューター用の言葉

絵のかき方やケーキの作り方をわかりやすい文章にしても、コンピューターはわかってくれないぞ。指示や手順を、コンピューターが理解できる特別な言葉で書き直さなければならない。この特別な言葉がプログラミング言語だ。この本では、スクラッチ(Scratch)というプログラミング言語を使うよ。

空想の世界

あらゆるクリエイティブ（創造的）な分野でコンピューターが利用されているよ。この本にはうまく工夫されたプロジェクトがつまっているから、君の想像力に火がつき、創造的な考え方やプログラミングができるようになるぞ。

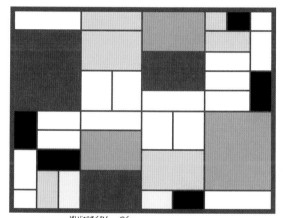

オリジナルな芸術作品を作るようプログラミングすることもできる。

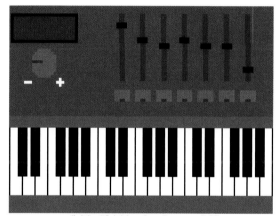

プログラムで楽曲や効果音を組み合わせて利用することもできる。

ゲームをプレイするだけでなく、ゲームプログラムを作るのも楽しいぞ。なにしろ自分でルールを全部決められるんだ。

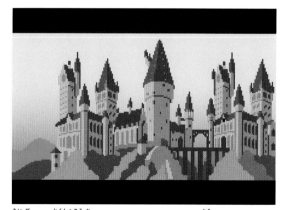

映画では特殊効果やCGで、グラフィック用のプログラムをよく使っているね。

プログラミング言語

コンピューターに何をすればよいか教えるには、そのための言葉——プログラミング言語——を使わなければならないよ。プログラミング言語には、この本で使うスクラッチのように入門用に使えるかんたんなものから、マスターするのにとても時間がかかるふくざつなものまで、いろいろな種類がある。プログラミング言語で書いた命令のまとまりをプログラムと呼ぶよ。

人気の言語

プログラミング言語は500種類以上あるけれど、現在使われているプログラムのほとんどは、そのうちのごく一部の言語で書かれているんだ。人気がある言語の多くは英単語を使っているけれど、書かれた命令文は英語の文とはまったくちがっているよ。よく使われている言語をいくつか使って、画面に「Hello!」と表示させる命令を書いてみたぞ。

▶C言語

OS（オペレーティングシステム）のWindowsなど、コンピューターのハードウェアをじかに操作するようなソフトウェアを書くのによく使われるね。宇宙ロケットのコントロールプログラムなど、高速で計算する必要があるソフトウェアを書くのにも向いているよ。

```
#include <stdio.h>
main(){ printf("Hello!"); }
```

▶C++（シープラスプラス）

ワープロ、ウェブブラウザ、OSなど、製品として売られているふくざつなソフトウェアを書くのによく使われている。C++自体がふくざつな言語だぞ。C言語をもとに作られたのだけれど、大きなソフトウェア開発プロジェクトで使うのに便利なように、いろいろな機能が追加されているよ。

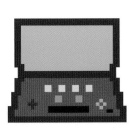

```
#include <iostream>
int main()
{
    std::cout << "Hello!" << std::endl;
}
```

```
class HelloApp {
    public static void main(String[] args) {
        System.out.println("Hello!");
    }
}
```

▲Scratch（スクラッチ）

プログラミングの入門者は、スクラッチのようなシンプルな言語から入ることが多いね。命令をテキストで入力していくのではなく、用意されているブロックを組み合わせてコード（命令のかたまり）を作るんだ。

▲Java（ジャヴァ）

Javaのソースコードはスマートフォン、ノートパソコン、ゲーム機、スーパーコンピューターと、いろいろなIT機器でそのまま使えるんだ。マインクラフトでも使われているよ。

print("Hello!")

▲Python（パイソン）

パイソンはいろいろな目的に使える人気のプログラミング言語だ。命令文は他の言語よりも短くシンプルなのでわかりやすいよ。スクラッチをマスターしたあとで取り組むのにちょうどいいね。

・・・ ことば

プログラミング用語

アルゴリズム 特定の仕事をするための手順を一つ一つ並べたもの。コンピューターのプログラムは、アルゴリズムをもとにして書かれている。

バグ ソースコードを書くときのまちがい。初期のコンピューターの配線に虫（バグ）がはさまってトラブルを起こしたことから、このように呼ばれている。

コード（ソースコード） コンピューター向けの命令をプログラミング言語で書いたもの。プログラミングのことをコーディングと呼ぶこともある。

alert('Hello!');

▲JavaScript（ジャヴァスクリプト）

ウェブサイトでユーザーと情報のやり取りをする場合によく使われているよ。広告を表示したりゲームをプレイできるようにしたりするぞ。

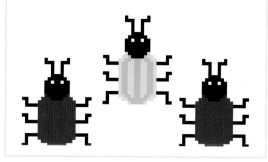

スクラッチはどのように動くのか

この本では、スクラッチというプログラミング言語を使って、クールなプロジェクトを作る方法をしょうかいするよ。カラフルなキャラクター（スプライトと呼ぶよ）をコントロールする命令が、ブロックの形で用意されている。このブロックをドラッグしてつなげばプログラムができるんだ。

スプライト

スプライトは、スクラッチの画面に表示されるキャラクター、品物、記号などのことだ。ゾウ、バナナ、風船といったたくさんのスプライトがあるし、自分でスプライトをかくこともできる。命令でスプライトを動かしたり、色を変えたり、くるくる回転させたりできるよ。

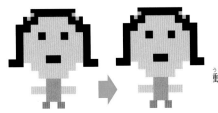

動き回れる

音を鳴らしたり演奏したりできる

どうだい、スプライトだぜ！

画面にメッセージを表示できる

コードブロック

スクラッチの色分けされたブロックは、スプライトに何をすればいいか指示するためのものだ。ブロックのかたまりをコードブロックと呼び、スプライトはその指示どおりに動くよ。コードブロックの中では、一番上のブロックから一番下のブロックへ向けて実行されていく。右下は、バンパイアのスプライトを動かすかんたんなコードだ。

▶**コードブロックを組み立てる**

コードブロックを組み立てるには、ブロックをマウスでドラッグしてつなげればいい。ジグソーパズルのピースをつなげるようなものだね。見分けがつきやすいように、ブロックは種類ごとに色分けされているぞ。例えば、むらさき色のブロックなら、スプライトの見た目を変えるためのものだ。

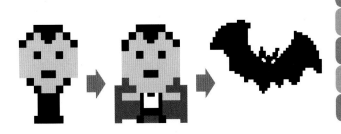

緑の旗 🚩 が押されたとき

コスチュームを vampire▼ にする

①秒待つ

コスチュームを open cloak▼ にする

①秒待つ

コスチュームを bat▼ にする

スクラッチのプロジェクトの例

スクラッチのプロジェクトは、スプライト、コードブロック、音などを集めて画面上でいろいろな動作をさせるんだ。画面でスプライトが動き回る部分をステージと呼ぶよ。ステージの奥の景色（背景）も変えられるぞ。

▶ **緑は進め！**

プログラムを動かす（実行する）と、セットしたコードが動き出すぞ。スクラッチでは、緑の旗のボタンを押せば、コードが動くようになっている。赤いボタンを押せば止まるから、プログラミングの続きに取りかかれるよ。

このボタンで全画面表示にできる

プロジェクトを動かす　プロジェクトを止める

舞台と照明は背景にかかれたものだよ

ダンスする恐竜とバレリーナは、それぞれが持つコードでコントロールされているスプライトだ

▶ **コードブロックを組み合わせる**

プロジェクトではいくつかのスプライトを使うよ。たくさんのコードブロックが組み合わさって、プロジェクト全体がうまく動くようになっているんだ。下のコードは、スプライトにマウスのポインターを追いかけさせるよ。

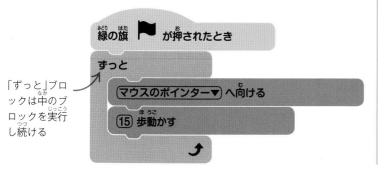

「ずっと」ブロックは中のブロックを実行し続ける

■■ **うまくなるヒント**

コードを読む

スクラッチの命令は理解しやすいようになっているよ。そのブロックが何をするか、ブロックに文字で書かれているね。だからコードを上から下へと読めば、何をしているかがわかるよ。

マウスのポインター▼ へ行く

このブロックがスプライトに何をさせるかわかるかな？

スクラッチ3.0を手に入れよう

この本のプロジェクトを作ったり、オリジナルのプログラムを作ったりするには、自分のパソコンでスクラッチ3.0が動くようにする必要がある。下の指示どおりにインストールすれば、むずかしいこととはないよ。

この本で使うのは
スクラッチ3.0だ！

オンライン版とオフライン版

もしパソコンがいつもインターネットにつながっているなら、オンライン版を使うのがベストだ。そうでないなら、オフライン版をダウンロードしてインストールしよう。

オンライン	オフライン

スクラッチのウェブサイト（https://scratch.mit.edu/）にアクセスして、「Scratchに参加しよう」をクリックする。ユーザー名とパスワードを入力してアカウントを作ろう。メールアドレスも必要だよ。

スクラッチのダウンロードページ（https://scratch.mit.edu/download/）にアクセスしよう。指示にしたがってダウンロード版を手に入れ、パソコンにインストールだ。

オンライン版はウェブブラウザ上で動くから、スクラッチのウェブサイトに行って、画面の上の方にあるメニューで「作る」をクリックすればいい。スクラッチの画面が開くよ。

他のソフトウェアと同じように、インストールするとパソコンのデスクトップにアイコンがあらわれる。アイコンをダブルクリックしてスクラッチを起動しよう。

オンライン版ではセーブの心配はしなくていい。プロジェクトを自動的にセーブしてくれるからね。

プロジェクトは、ファイルメニューから「コンピューターに保存する」を選んでセーブしないといけない。スクラッチはパソコンのどのフォルダにセーブするかを聞いてくる。パソコンを借りているなら、持ち主にセーブ場所を教えてもらおう。

オンライン版は、最新のウェブブラウザが使えれば、Windows機、マッキントッシュ、Linux機で動くよ。タブレットでも動くぞ。

オフライン版のスクラッチはWindows機とマッキントッシュで動くようになっているよ。

スクラッチのバージョン

この本ではスクラッチのバージョン3.0を使うよ。古いバージョンではうまく動かないぞ。パソコンにスクラッチがもうインストールしてあってバージョンがわからないなら、下の絵を参考にして調べてみよう。

▼スクラッチ2.0
古いバージョンのスクラッチでは、ステージが下のように左側にあらわれるよ。スクラッチ3.0をインストールしよう。

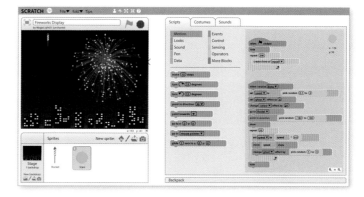

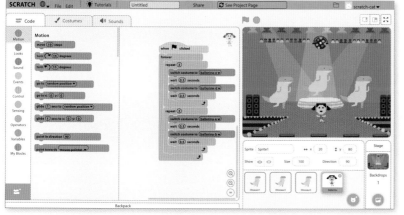

◀スクラッチ3.0
スクラッチの最新バージョンで2019年にリリースされたよ。ステージは画面右側になり、古いバージョンよりもブロックの種類が増えていろいろなことができるようになったんだ。新しいスプライトが加わり、サウンドエディターが使いやすくなり、ブロックパレットに「拡張機能を追加」というボタンが作られた。この拡張機能を選べば、新しいブロックがいくつも出てくるぞ。

＊画面は英語版のものです。

うまくなるヒント

マウスのポインター

スクラッチではポインターを細かく動かすことが多いから、タッチパッドよりもマウスの方が使いやすいね。この本では、マウスで右クリックするよう指示されることが多い。もし使っているマウスにボタンが1つしかないなら、Shift（シフト）キーかCtrl（コントロール）キーを押しながらクリックすればいいよ。

スクラッチの
インターフェース

これがスクラッチの操作画面だよ。コードブロックを組み立てるためのツールは左側、プロジェクトがどのように動くかを見るためのステージは右側にあるね。さあ、いろいろさわってみよう！

コードを組み立てるときはこのタブを選ぶ

表示する言葉の切りかえ

メニュー

音のタブをクリックすれば、ゲームに音楽や効果音を加えられる

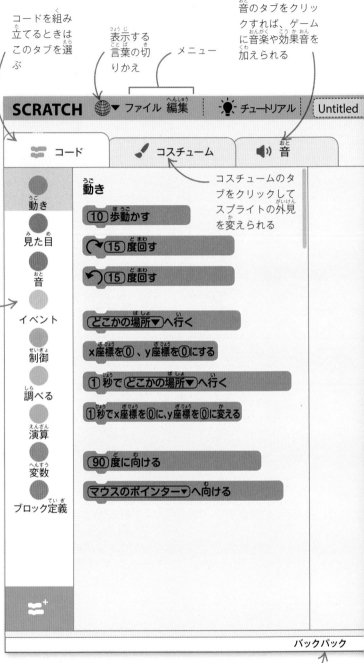

コスチュームのタブをクリックしてスプライトの外見を変えられる

ブロックパレット
スプライトに命令するためのブロックは、ウィンドウの左側に表示されるよ。使いたいブロックを1つずつドラッグして、コードエリアに置いていこう

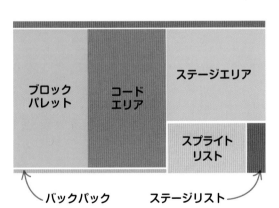

ブロックパレット　コードエリア　ステージエリア　スプライトリスト

バックパック　ステージリスト

▲この部分の名前は？
スクラッチのウィンドウのどの部分がどういう名前かを知らないと、この本を読むのに困ってしまうよ。上の図で覚えてしまおう。ブロックパレットの上のタブをクリックすれば、音を編集したり、スプライトの見た目を決めるコスチュームを変えたりできるよ。

バックパック
便利なコードブロック、スプライト、コスチューム、音はバックパックに入れておけるぞ。バックパックに入れておけば、他のプロジェクトでも使えるんだ

コードエリア
プロジェクトで使うスプライトごとに、ブロックをウィンドウのこの部分にドラッグしてこよう。ここでブロックをつなげてコードを組み立てるよ。

ステージ
この部分でスプライトがいろいろな動作をする。プロジェクトを実行すると、スプライトはすべてこのステージにあらわれる。そしてコードブロックの指示どおりに動いたり、他のスプライトとやりとりをしたりするんだ。

ここをクリックするとプロジェクトが全画面で表示される

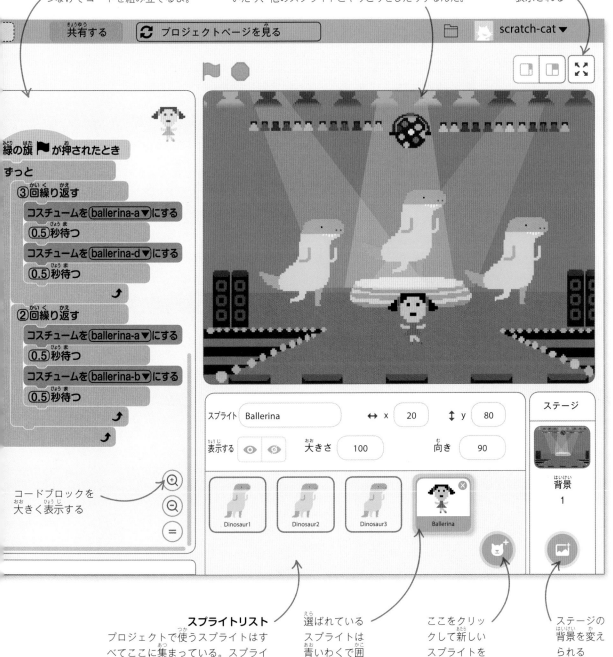

コードブロックを大きく表示する

スプライトリスト
プロジェクトで使うスプライトはすべてここに集まっている。スプライトをクリックすれば、そのコードがコードエリアに表示されるよ

選ばれているスプライトは青いわくで囲まれる

ここをクリックして新しいスプライトを加える

ステージの背景を変えられる

プロジェクトの種類

この本にはいろいろなジャンルの楽しいプロジェクトがのっているよ。
スクラッチを使ったことがなくても、プログラミングになれていなくて
も心配ないぞ。次の章の「さあ始めよう」で学べばいい。ここではどん
なプロジェクトがあるか、かんたんにしょうかいしよう。

分身のじゅつ(p.26)

恐竜のダンスパーティー(p.34)

動物レース(p.48)

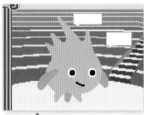
ゴボに聞いてみよう(p.60)

▲さあ始めよう

まずはかんたんなプロジェクトでスクラッチの使い方を学んでい
こう。順番に大事なテクニックをしょうかいしていくから、スク
ラッチになれていない人は、プロジェクトをとばさないようにし
てね。この章を終えるころには、スクラッチの基本が身について
いるはずだ。

変顔をかこう(p.70)

バースデーカード(p.82)

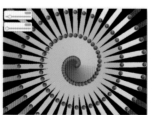
スパイラル(p.94)

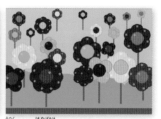
美しい花畑(p.106)

◀アート

アーティストは新しい方法をさが
すのが大好きだ。コンピューター
を使えば、レオナルド・ダ・ヴィ
ンチでさえ思いつかないようなアー
トを生み出せるよ。バースデー
カードを作り、スパイラルを表示
し、画面を花でいっぱいにしよう。

▶ゲーム

プログラミングのなかで特にクリエイティブなのがゲー
ム作りだ。ゲームの作者は、プレイヤーを楽しませスト
ーリーをくり広げるためのユニークな方法はないか、い
つも気にかけているよ。この章のゲームでは、スプライ
トにくねくねしたトンネルを抜けさせたり、画面のバー
チャルなよごれをふき取ったりするぞ。

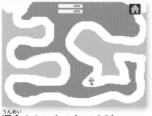
運命のトンネル(p.122)

まどふき競争(p.134)

バーチャル雪景色(p.144)

花火(p.154)

フラクタルツリー（p.162）

雪の結晶(p.172)

▲シミュレーション

コンピューターに正しく情報を教えると、音楽を演奏したり、現実の世界のできごとをシミュレートしたりできるんだ。この章では雪のふり方、花火の広がり方、木の育ち方、雪の結晶のでき方をシミュレートするよ。

スプライトと音(p.182)

ドラム(p.190)

◀音楽

昔のコンピューターは単じゅんなビープ音を出すのにさえ苦労していたよ。今のコンピューターなら、オーケストラのどの楽器の音でも出せるぞ。この2つのプロジェクトが作る音を聞いてみよう。最初のプロジェクトはおかしなアニメーションに効果音をつけるものだ。2つ目はキーボードでドラムセットをたたけるようにするぞ。

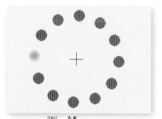

ふしぎな光の玉(p.200)

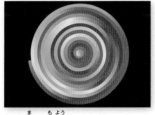

うず巻き模様(p.208)

◀ふしぎな世界

画像をたくみに動かすと、目のさっ覚を引き起こして、びっくりするようなイメージを生み出すことができる。プロジェクトを実行して、ふしぎなイメージを見てみよう。

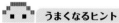
うまくなるヒント

完ぺきなプロジェクト

この本のプロジェクトはどれも、かんたんな命令がいくつも組み合わさったものだ。一つ一つの命令をよく読んでいけば、全体がどのように動いているかわかるはずだね。本のうしろの方のプロジェクトほどふくざつになっているよ。プロジェクトが思いどおりに動かないときは、少し前にもどって命令を見直してみよう。それでも動かないなら、大人の人に見てもらってね。プロジェクトが完成したら改造してみよう。プロジェクトを大事にとっておくだけではもったいないぞ。

さあ始めよう！

分身のじゅつ

スクラッチはどのようなものかを知るために、ネコのスプライトでとてもかんたんなアート作品を作ってみよう。登場するネコはスクラッチのマスコットだよ。このプロジェクトでは、ネコの色をつぎつぎに変えていく。もちろんネコ以外のスプライトでも使えるテクニックだ。

緑の旗を押せばプロジェクトが動くよ

このボタン（赤信号）を押せばプロジェクトが止まるよ

しくみ

ネコを分身させて色を変えていくシンプルなプロジェクトだ。マウスをドラッグしたあとにネコが色を変えてつぎつぎとかかれていくよ。あとで他の特殊効果も加えてみよう。

▲マウスのあとを追う
最初に作るコードは、ネコにマウスのポインターを追わせ、ステージ内を動き回らせるためのものだ。

▲色を変える
次に、コードにブロックを加えてネコの色が変わるようにする。

▲コピーを作る
「スタンプ」というブロックを使って、ネコが動いたあとに残像が残るようにしよう。

▲もっと楽しく
プロジェクトが完成したらいろいろと実験をしてみよう。特殊効果も使ってみよう。

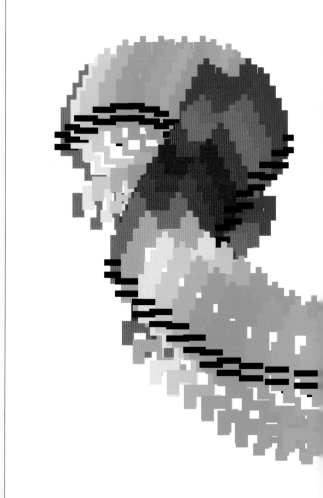

ネコはマウスのポインターにくっついて動き、色をつぎつぎに変えるぞ

ここをクリックすれば全画面で表示される

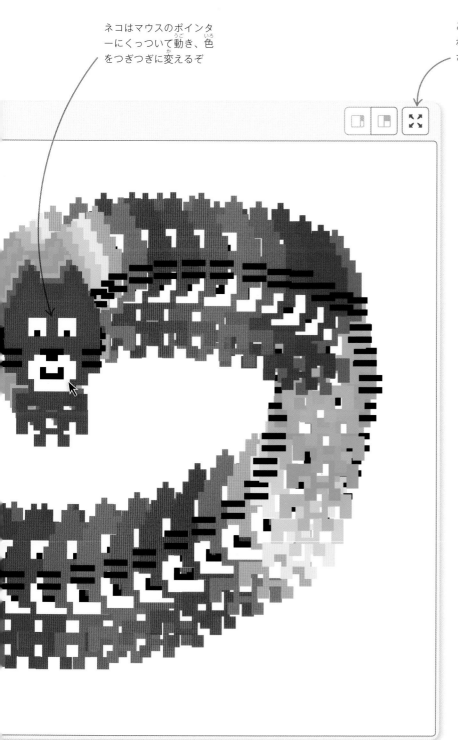

◀ネコのアート

このプロジェクトは君のイマジネーションをかきたてるはずだ。ネコの色、大きさ、特殊効果をいろいろと試してみよう。現代アートの作品ができ上がるぞ。

これこそけっ作だ！

マウスのコントロール

手始めに、ネコのスプライトがマウスのポインターが指しているところに行くようにしよう。そのためには、いくつかの命令の組み合わせ、つまりコードを作らないといけないね。

ついてきな。

1 スクラッチの新しいプロジェクトを始めよう。オンライン版を使っているならスクラッチのウェブサイトにアクセスして、画面の上の方にあるメニューから「作る」を選ぶ。オフライン版では、デスクトップにあるスクラッチのアイコンをダブルクリックしよう。

新しいプロジェクトを始めたときに、ステージに表示されるのはネコのスプライトだけだよ

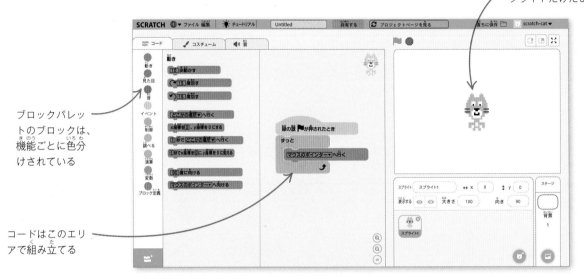

ブロックパレットのブロックは、機能ごとに色分けされている

コードはこのエリアで組み立てる

2 コードを組み立てるには、ブロックを左側のブロックパレットから、中央の灰色のコードエリアにドラッグすればいい。ブロックは働きごとに色分けされている。ちがう種類のブロックを使いたいときは、ブロックパレットの左に並んでいるボタンをクリックしよう。

新しいプロジェクトを始めたときは必ず「動き」が選ばれている。ちがう種類のブロックは、ボタンをクリックして表示しよう

ことば

プログラムを実行する

プログラムをスタートさせることを「プログラムを実行する（動かす）」というよ。プログラムが何かをしていれば「実行中」だ。スクラッチではプログラムをプロジェクトと呼び、緑の旗を押せば、今開いているプロジェクトが実行されるよ。

3 「どこかの場所へ行く」のブロックを選んで、右側のコードエリアにドラッグしよう。ブロックはマウスから指を離したときの位置に置かれるよ。ブロックのドロップダウンメニューから「マウスのポインター」を選んでね。

4 今度はブロックパレットで「制御」を選ぼう。パレットの右側に並んだブロックが、いっせいにオレンジ色のものに変わったね。

「制御」ボタンをクリックするとオレンジ色のブロックがあらわれるぞ

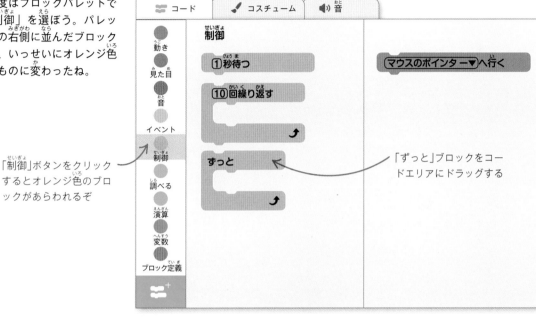

「ずっと」ブロックをコードエリアにドラッグする

5 マウスで「ずっと」ブロックをドラッグし、青い「マウスのポインターへ行く」ブロックをつつむように置いてみよう。青いブロックに近づければ、うまくはまるはずだ。「ずっと」ブロックは、中にはさんだブロックをずっと実行し続けるよ。

中のブロックをくり返し実行する。ループ（p.33参照）というよ

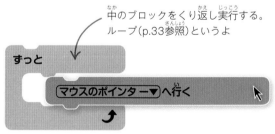

6 「イベント」ボタンをクリックして、「緑の旗が押された（＝クリックされた）とき」ブロックを選ぶ。さっきの2つのブロックの上につなげるぞ。ステージ上の緑の旗を押すと、このブロックで始まるコードが実行されるんだ。

このようにコードの一番上に置くブロックを、ヘッダーブロックと呼ぶよ

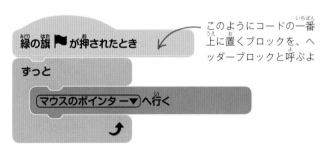

7 ステージの上の方にある緑の旗を押してみよう。ネコがマウスのポインターにくっついて動くぞ。赤いボタンを押せば追いかけっこをやめさせられる。これで初めてのスクラッチのコードが完成したぞ！やったね！

コードを実行する

実行中のコードを止める

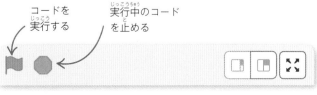

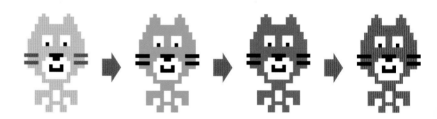

ネコの色を変える

スクラッチにはアートに使える機能がそろっている。ここでしょうかいするかんたんなコードを使えばアート作品のできあがりだ。

8　ブロックパレットの「見た目」ボタンをクリックし、「色の効果を25ずつ変える」ブロックを選ぼう。このブロックをコードの「ずっと」ブロックの中に、右の図のように入れるんだ。

> 緑の旗 🚩 が押されたとき
>
> ずっと
> 　マウスのポインター▼へ行く
> 　色▼の効果を 25 ずつ変える

このブロックを加えて実行するとどうなるかな？

9　緑の旗を押してプロジェクトを実行してみよう。ネコの色がつぎつぎと変わっていくね。「色の効果を～ずつ変える」のブロックがループで実行されるたびに、色が少しずつ変わっているんだ。

10　もっとアート作品らしくするぞ。ブロックパレットのボタンの一番下にある「拡張機能を追加」をクリックする。そしてその中から「ペン」を選ぶ。ブロックパレットにペンのボタンが加わり、緑色のブロックが出てくるはずだ。「スタンプ」というブロックをドラッグしてループの中に入れ、コードを右のようにしてみよう。

> 緑の旗 🚩 が押されたとき
>
> ずっと
> 　マウスのポインター▼へ行く
> 　色▼の効果を 25 ずつ変える
> 　🖊 スタンプ

アート作品にするぞ！

「スタンプ」ブロックは、スプライトがいる場所にそのすがたをはりつけていく。この場合はネコのすがたがスタンプされるよ

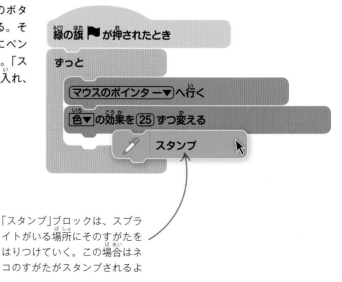

11 それでは、緑の旗を押してプロジェクトをもう一度実行してみ
よう。スプライトが動くと、色とりどりのネコのイラストがス
タンプされていくはずだ。ネコをモチーフにしたアートだ！

> 一つ一つのネコは、「ス
> タンプ」ブロックが残し
> ていったものだ

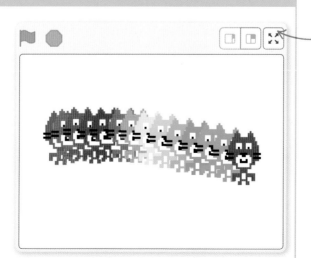

12 このままだとステージがすぐにネコでいっぱいになって
しまうぞ。でも心配いらないよ。ブロックパレットで「ペ
ン」を選び、「全部消す」ブロックをコードエリアにド
ラッグしよう。このブロックは、さっき作ったコードか
らはなれた場所に置こう。それから「イベント」ボタン
をクリックして、黄色い「スペースキーが押されたとき」
ブロックを選び、ドラッグして右のようにつなげる。プ
ロジェクトを実行して、スペースキーを押したらどうな
るか見てみよう。

> スペース▼ キーが押されたとき
>
> 🖊 全部消す

> このヘッダーブロックは、キー
> ボードの決めておいたキーが押
> されたときにコードを実行する

全画面

プロジェクトを実行すると
きは、画面を見やすくして
おきたいね。ステージ右上
の「全画面表示」ボタンを
クリックすればコードが見
えなくなり、ステージだけ
が表示される。このとき、
ステージ右上に「全画面表
示」ボタンとよくにたボタ
ンがあらわれるよ。このボ
タンをクリックすればもと
の表示にもどるんだ。

> プロジェクトの実行
> 結果を大きな画面で
> 見たいときにクリッ
> クする

オフライン版を使っているときは
ときどきセーブするのを
忘れないようにしよう

改造してみよう

ネコの見た目を変える方法はいろいろあるよ。びっくりするようなすがたにもできるぞ。やり方をいくつかしょうかいするけれど、自分の好きなように改造してみるのが大切だ。

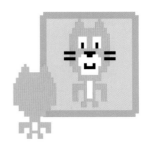

▼サイズを変えてみる

下の２つのコードブロックを加えて、上下の矢印キーを押すとネコが大きくなったり小さくなったりするようにしてみよう。

下向きの三角形をクリックして、ドロップダウンメニューから目当てのキーを選ぼう

> 上向き矢印▼キーが押されたとき
>
> 大きさを⟮10⟯ずつ変える

> 下向き矢印▼キーが押されたとき
>
> 大きさを⟮ー10⟯ずつ変える

正の数を入れるとネコが大きくなり、負の数（マイナスがつく数）を入れると小さくなる

▼じょじょに色を変える

こわがらずに、スクラッチの命令にセットする数などをいじってみよう。ネコの色の変わり方だって「25ずつ」にこだわる必要なんてないぞ。この数を小さくすれば色の変わり方が遅くなり、ネコが動いたあとに、にじのような色の帯ができるよ。

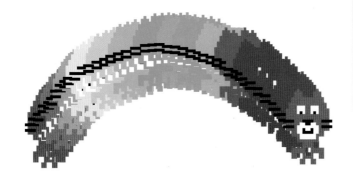

■ ■　ためしてみよう

すごい色のネコ

まずステージいっぱいになるまでネコを大きくしてみよう。次にスペースキーを押して、メインのネコ以外を消してしまう。そして下向き矢印キーを押したままにするんだ。ネコの中にさらに小さいネコがあらわれて、色とりどりのネコでできたトンネルが完成するぞ。

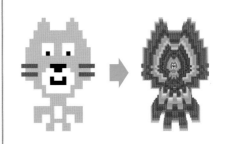

> 緑の旗 🚩 が押されたとき
>
> ずっと
>
> > マウスのポインター▼へ行く
> >
> > 色▼の効果を⟮1⟯ずつ変える
> >
> > ✏️ スタンプ
> >
> > ↰

この数を1にすると、色の変わり方がとてもゆっくりになる

▼特殊効果

特殊効果は色を変えるだけではないよ。「緑の旗が押されたとき」で始まるメインコードに、「〜の効果を〜ずつ変える」のブロックをもう1つ追加する。そしてドロップダウンメニューから色以外の効果を選び、どうなるか実験しよう。

最初はこの数を小さくして、少しずつ変えるのがいいね

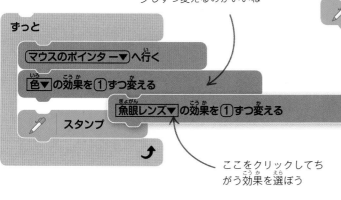

ここをクリックしてちがう効果を選ぼう

▼かたづける

特殊効果を使うと画面が見にくくなることがある。そこで「画像効果をなくす」というブロックを下のように加えてみよう。スペースキーを押すとステージがきれいにかたづくぞ。

ちらかったところはかたづけよう。

▼キーを押しただけで

もっと特殊効果を増やして、ネコの色をいじってみよう。キーボードのキーに特殊効果をわりあてておけば、キーを押すだけで使えるようになるぞ。例えば下のようにすれば「幽霊」の効果が有効になるね。

スクラッチでは「幽霊」の効果を使うとスプライトがとう明になっていくよ

うまくなるヒント

ループ

ほぼすべてのプログラミング言語でループという「くり返し」の機能が使えるよ。ループならプログラムの前の方にもどって、命令を何回もくり返せるから、コードをすっきり短くできるね。「ずっと」ブロックのループはずっとくり返し続けるけれど、他のループなら決まった回数だけくり返すようにできる。この本では、かしこいループの作り方をいくつもしょうかいしていくよ。

コードは上から下へと実行される

「ずっと」ブロックはループの最初にもどって何度も中のコードを実行するんだ

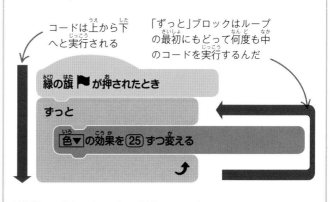

恐竜のダンスパーティー

ダンスシューズをみがいて、恐竜たちのダンスパーティーに参加しよう。誰をしょうたいしようかな？ 音楽、しょうめい、ダンスでもり上がるぞ。同じ動きをくり返すダンスは、コンピューターのプログラムのようなものだ。順番にステップをふめばいいんだ。

緑の旗はプロジェクトを動かす

赤いボタン（赤信号）でプロジェクトを止める

しくみ

それぞれのスプライト用にコードが作られ、ダンスの動きがプログラミングされている。左右に動くだけのシンプルなものから、ダンスフロア全体をコントロールするように動くもの、いくつもの動きを取り入れたものと、動きのパターンはいろいろだ。ダンサーの数は好きなだけ増やせるぞ。

◀恐竜（Dinosaur）
ダンスする恐竜を作ったら、このスプライトをコピーして増やせるぞ。リズムに合わせて恐竜のグループがダンスするよ。

ダンスパーティーの背景には「Spotlight」を使うよ

◀バレリーナ（Ballerina）
バレリーナにはちょっと上品にダンスしてもらおう。恐竜よりもふくざつなダンスだ。

ディスコのライトは1秒間
に何回も色を変えるぞ

このボタンをクリック
すれば全画面表示から
もとにもどるよ

ちがうポーズを用意して
おいて切りかえることで、
スプライトがおどってい
るように見せるんだ

さあ
パーティーだ！

おどる恐竜

スクラッチのライブラリーには、プロジェクトですぐに使えるスプライトがたくさん用意されている。「コスチューム」をいくつも持つスプライトが多いね。コスチュームを変えると、スプライトのポーズが変わるんだ。コスチュームをすばやく変えれば、スプライトが動いているように見えるぞ。

1 まずスクラッチの新しいプロジェクトをスタートさせよう。スクラッチのホームページの上の方に並んでいるメニューから「作る」を選ぶ。もし何かのプロジェクトを開いているなら、ステージの上のファイルメニューで「新規」を選ぼう。

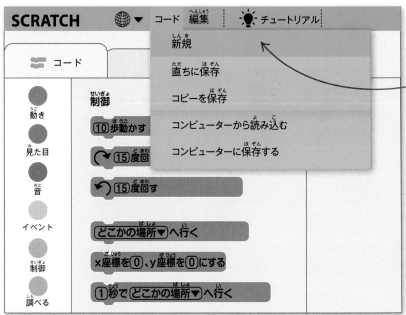

「新規」をクリックすると新しいプロジェクトが始まるぞ

2 新しいプロジェクトには必ずネコのスプライトが登場するけれど、今回は削除してしまおう。ネコの上にマウスのポインターを持っていって右クリック（ボタンが1つしかないマウスならCtrlかShiftを押しながらクリック）し「削除」を選ぼう。

3 新しいスプライトを読みこむには、スプライトリスト（ステージのすぐ下だ）の右下のボタンを押そう。新しいウィンドウにスプライトが並んでいる。「Dinosaur4」を選べば、ステージとスプライトリストにあらわれるよ。

このボタンを押して新しいスプライトを読みこむ

4 右のかんたんなコードをDinosaur4のために作ってあげよう。よく見て、右の図と同じブロックを使うようにしてね。緑の旗を押していなくても、スペースキーを押せばコードが実行されるはずだ。どうなるかな？

「見た目」ボタンをクリックして、むらさき色のブロックからさがそう

このブロックは、ブロックパレットの「イベント」をクリックして黄色のブロックからさがそう

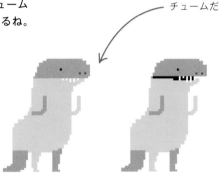

> スペース▼ キーが押されたとき
> 次のコスチュームにする

5 ステージの恐竜を見てみよう。スペースキーを押すたびにポーズが変わるはずだ。スプライトはDinosaur4のままだけれど、見た目がつぎつぎに変わっているんだ。それぞれのポーズをコスチュームと呼ぶよ。スプライトがいろいろなことをしているように見えるね。

どのポーズも、恐竜のスプライトが持つコスチュームだ

6 ブロックパレットの上にあるコスチュームタブをクリックすると、恐竜のコスチュームがすべて表示される。スペースキーを押してみよう。キーを押すたびに「次のコスチュームにする」のブロックが実行され、ステージとスプライトリストの恐竜の見た目が変わっていくね。

それぞれのコスチュームにはちがう名前がついている

スクラッチのウィンドウのこの部分は、ペイントエディターといってスプライトや背景をかけるんだ。この本のあとの方で、使い方を説明するよ。

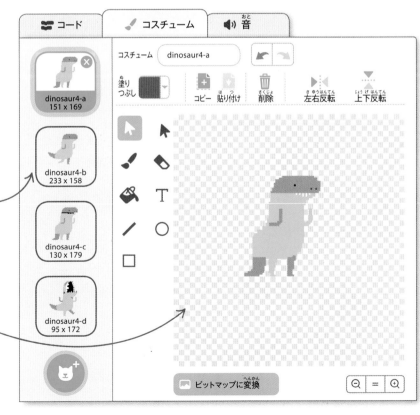

ダンスのステップ

ループを使って恐竜のコスチュームをくり返し変えれば、恐竜が動いているように見えるぞ。絵をすばやく変えて、連続して動いているようにさっ覚させるのがアニメーションだね。

7 ウィンドウの上の方にあるコードタブをクリックして、Dinosaur4のコードをもう一度表示しよう。それから下のようにコードブロックを変えるぞ。動かす前に、何をしようとしているか考えてみよう。

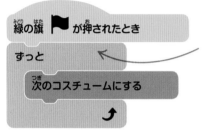

ブロックは色分けされているぞ。「ずっと」のブロックはオレンジ色の「制御」グループの中にあるよ

8 ステージの上にある緑の旗を押してコードを実行しよう。恐竜がはげしい動きをするはずだ。これは全部のコスチュームを使って、すごい速さで変えているからだね。もっとダンスらしくするために、使うコスチュームを2つだけにしてしまおう。

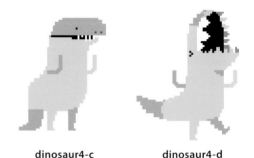

dinosaur4-c   dinosaur4-d

9 ループの中から「次のコスチュームにする」ブロックを取り去り、右のように新しいブロックを入れよう。新しいコードは2つのコスチュームを交ごに表示して、「～秒待つ」ブロックでゆっくり動くようにしている。さあ、もう一度緑の旗を押してみよう。恐竜がもっときちんとしたダンスをするはずだ。

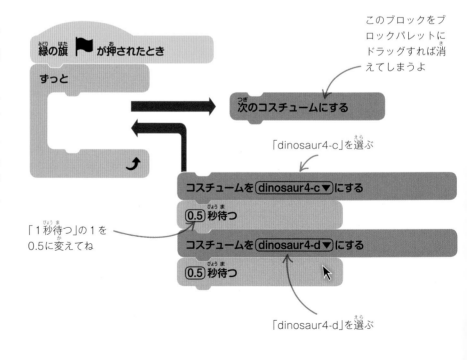

このブロックをブロックパレットにドラッグすれば消えてしまうよ

「dinosaur4-c」を選ぶ

「1秒待つ」の1を0.5に変えてね

「dinosaur4-d」を選ぶ

10 恐竜の数を増やすには、最初の恐竜をコピーすればいい。スプライトリストの恐竜にマウスのポインターを当てて右クリックし、ドロップダウンメニューから「複製」を選ぼう。新しい恐竜がスプライトリストにあらわれるよ。

恐竜の上で右クリック（CtrlかShiftキーを押しながらクリック）する

「複製」を選べばスプライトとそのコードがコピーされる

複製
削除
書き出し

11 さらにもう1頭のコピーを作ろう。これで恐竜は合計3頭になったね。ステージ上の恐竜をクリックしてドラッグすれば、好きな位置に置けるぞ。それからプロジェクトを実行だ。3頭とも同じコードを持っているから、まったく同じようにおどるはずだ。

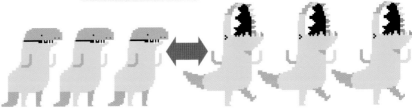

ぶたいを整える

恐竜がおどっているけれど、ぶたいがたいくつだね。ここから先の作業では、かざりを加えて音楽も使うようにする。スクラッチのステージ自体も改造しよう。ステージはスプライトではないけれど、ステージ用にコードを作れるんだ。

12 まず場面を大きく変えてしまおう。ステージに表示されるイラストを背景と呼び、新しいものに変えられるんだ。画面の右下にステージ情報が表示されている。そこで背景のボタンをクリックしよう。

13 背景ライブラリーが出てきたら、「Spotlight」を選んでクリックする。これでステージに新しい背景が表示されるぞ。

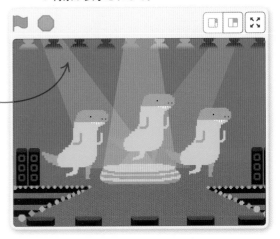

背景「Spotlight」がパーティーのふんいきをもり上げるね

このボタンをクリックして背景を読みこむ

背景を選ぶ

14 画面の上の方にあるコードタブをクリックしよう。スプライトごとにコードを作れるように、ステージ用のコードも作れるんだ。

背景を選んだ状態でここをクリックしてコードエリアを表示する

15 ステージ用に右のコードを作ろう。ぶたいのライトを光らせるためのものだ。緑の旗を押してプロジェクトを実行してみるよ。本物のディスコのようになるはずだ。「〜秒待つ」ブロックの数を変えれば、ライトが光るタイミングが変わるよ。実験してみよう。

この数を変えてライトの光り方を調整する

このブロックは背景の色を変えるだけで、他のスプライトには何もしないよ

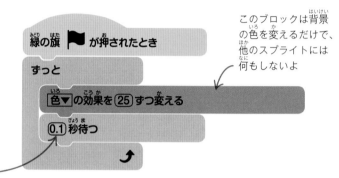

16 次に音楽を加えるよ。背景タブのとなりにある音タブをクリックしてから、左下にあるスピーカーのボタンをクリックしよう。音ライブラリーが開いたら「Dance Around」を選ぶよ。ステージの音のリストにこの曲が表示されるはずだ。

ここをクリックしてライブラリーから音を選ぶ

音を選ぶ

17 もう一度コードタブをクリックして、ループで曲を鳴らし続けるコードを追加しよう。それから緑の旗を押してプロジェクトを実行すれば曲がかかるはずだ。前よりもずっとパーティーらしくなったね。

オイラをよく見たいなら全画面のボタンをクリックしてね。

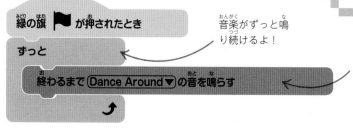

音楽がずっと鳴り続けるよ！

ループのはじめにもどるのは、曲（音）を終わりまで鳴らしてからになるよ

さあ動いて！

はく力のある恐竜たちが立っているけれど、ダンスフロアを動き回らずに同じ位置で止まっているよ。スクラッチの「動き」ブロックを使って直してみよう。

18 まずスプライトリストのDinosaur2をクリックして、そのコードをコードエリアに表示しよう。

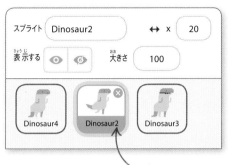

ここをクリックしてDinosaur2のコードを表示する

19 それから下のコードを追加するよ。ブロックパレットの「動き」ボタンを選び、濃い青色のブロックを表示しよう。何をするためのコードかわかるかな？

> 緑の旗 🚩 が押されたとき
>
> ずっと
> > (10) 歩動かす
> > もし端に着いたら、跳ね返る
> > ↪

本物の恐竜の「1歩」ではないよ。スクラッチで長さを表すときに使う単位なんだ

このブロックを入れると、恐竜がステージの端に着いたときに向きを変えるぞ

20 緑の旗を押すとDinosaur2の2つのコードブロックが同時に動く。スプライトはおどりながらステージの中を左右に動くけれど、ひっくりかえったまま進んでいるぞ！

21 さか立ちしたままでは、恐竜の頭に血がのぼってしまう。右のように「回転方法を～にする」ブロックを入れてあげよう。このブロックで恐竜にさか立ちさせるかどうかを決められるぞ。

ドロップダウンメニューで「左右のみ」を選べば、恐竜はさか立ちしないよ

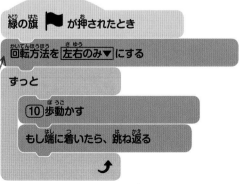

> 緑の旗 🚩 が押されたとき
>
> 回転方法を 左右のみ▼ にする
>
> ずっと
> > (10) 歩動かす
> > もし端に着いたら、跳ね返る
> > ↪

キーボードでコントロールしよう

恐竜を思いのままにコントロールしたいと思ったことはないかな？ これから作るコードは、Dinosaur3をキーボードでコントロールするためのものだ。左右の矢印キーを使って、ステージ上の恐竜を動かそう。

22 スプライトリストを開いてDinosaur3をクリックしよう。この恐竜のコードをいじれるようになるぞ。

青いわくに囲まれているから、今選ばれているスプライトはDinosaur3だね

23 コードエリアで右のようなコードを組み立てよう。ふくざつだから、正しいブロックを正しい位置に置くよう注意してね。「もし～なら」ブロックはオレンジ色の「制御」グループにあるよ。はさんでいるブロックを実行するかどうかを、質問の答えで決める特別なブロックだ。それから、2つの「もし～なら」ブロックと「ずっと」ブロックの組み合わせ方には特に注意しよう。

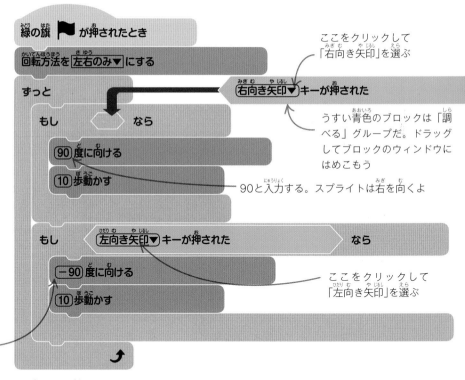

緑の旗 が押されたとき

回転方法を　左右のみ▼　にする

ずっと

もし　　　　なら

90 度に向ける

10 歩動かす

もし　左向き矢印▼キーが押された　なら

−90 度に向ける

10 歩動かす

ここをクリックして「右向き矢印」を選ぶ

右向き矢印▼キーが押された

うすい青色のブロックは「調べる」グループだ。ドラッグしてブロックのウィンドウにはめこもう

90と入力する。スプライトは右を向くよ

ここをクリックして「左向き矢印」を選ぶ

−90と入力する。スプライトは左を向くぞ

24 動かしてみる前にコードをよく読んで、何をしようとしているのか考えてみよう。押されたのが右向き矢印キーなら、スプライトに右を向かせるブロックと動かすブロックが実行される。左向き矢印キーならスプライトに左を向かせて動かす。どちらのキーも押されていないときは、どのブロックも実行されず恐竜は同じ位置にいるね。

どれかを選ぶ

私たちはおなかがすいていれば何かを食べ、そうでないなら食べないというように、どう行動するかを選んでいることが多いね。コンピューターのプログラムでも「選ぶ」ことができるようになっているよ。何をするか選ぶための「もし～なら」という命令は、いろいろなプログラミング言語で使われている。スクラッチでも「もし～なら」ブロックに条件か質問をセットしておけば、それが正しい場合（「はい」の場合）だけ、中にはさんだブロックが実行されるよ。

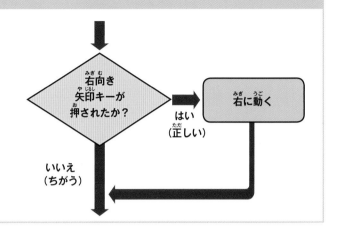

バレリーナを加える

恐竜たちはおどっているけれど、友だちを呼ばないパーティーはめったにないぞ。バレリーナを呼んで、お得意のダンスをひろうしてもらおう。バレリーナのコードは恐竜よりふくざつなものにするよ。

25 スプライトリストからBallerinaを読みこもう。ステージにバレリーナがあらわれるから、マウスでドラッグして好きな位置まで動かしてね。それからバレリーナ用のコードを作るから、スプライトリストでバレリーナが選ばれている（青いわくで囲まれている）かチェックしよう。

バレリーナが選ばれている

26 スプライトが選ばれた状態でコスチュームタブをクリックすると、そのスプライトのコスチュームがすべて表示される。バレリーナには4つのコスチュームがあるね。コスチュームを変えることで、バレリーナのダンスを表現するんだ。

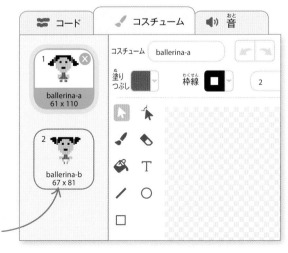

コスチュームにはそれぞれ名前がついているよ

27　コスチュームごとにちがう名前がついているのを利用して、バレリーナ用のダンスを組み立てられる。右はその1つの例だ。ダンスのステップごとに1つのブロックが使われているよ。

ballerina-aとballerina-dのコスチュームを組にして3回くり返しているよ

28　バレリーナのダンスの最初のパート用に右のコードを作ろう。「ずっと」ループは使わず、「〜回繰り返す」のループを使うよ。このループにすると、決められた回数だけくり返してから次のブロックに進むんだ。プロジェクトを実行して、どんなダンスになるか見てみよう。

バレリーナの動きを少しおくらせよう。このウィンドウに0.5と入力だ

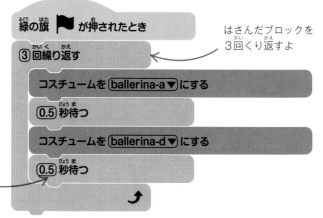

緑の旗 🚩 が押されたとき

はさんだブロックを3回くり返すよ

③回繰り返す

コスチュームを ballerina-a ▼ にする

0.5 秒待つ

コスチュームを ballerina-d ▼ にする

0.5 秒待つ

ことば

アルゴリズム

アルゴリズムは何かの作業をするための手順で、シンプルな命令の積み重ねでできている。このプロジェクトではバレリーナのダンスのやり方（アルゴリズム）を、スクラッチのプログラムに置きかえているよ。コンピューターのプログラムはどれもアルゴリズムをもとに作られている。プログラミングとは、アルゴリズムで示されたやり方を、コンピューターが理解できるプログラミング言語に置きかえることなんだ。

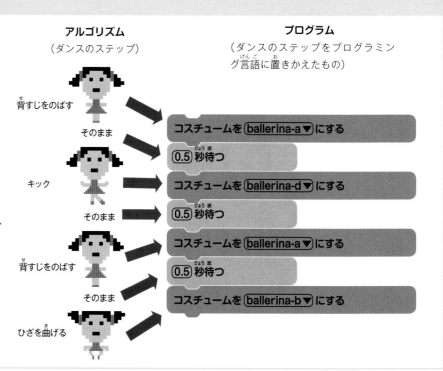

アルゴリズム
（ダンスのステップ）

プログラム
（ダンスのステップをプログラミング言語に置きかえたもの）

背すじをのばす

そのまま　→　コスチュームを ballerina-a ▼ にする

→　0.5 秒待つ

キック　→　コスチュームを ballerina-d ▼ にする

そのまま　→　0.5 秒待つ

背すじをのばす　→　コスチュームを ballerina-a ▼ にする

→　0.5 秒待つ

そのまま　→　コスチュームを ballerina-b ▼ にする

ひざを曲げる

29 今度は2番目のパート用のコードだ。最初のパートでキックを3回したから、このパートではひざを2回曲げるぞ。

コスチュームはballerina-aとballerina-bを組にして2回使う

30 バレリーナのコードに下のようにブロックを追加してね。28番で作った「3回繰り返す」のあとに、今度作る「2回繰り返す」のループをつなげるんだ。

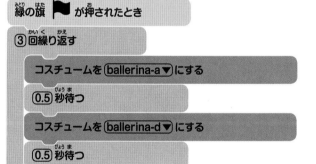

2番目の「〜回繰り返す」ブロックをここにつなげる

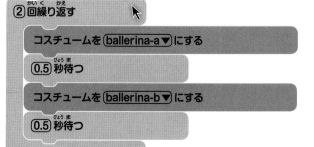

31 それでは緑の旗を押して、バレリーナのダンスのふりつけを見てみよう。でも1回しかおどってくれないぞ。ダンスを続けてもらうには、コード全体を「ずっと」ループの中に入れればいいね。ループの中にループを作るんだ。

ヘッダーブロックのすぐあとに「ずっと」を入れよう。「ずっと」ブロックの口が大きく開くよ。

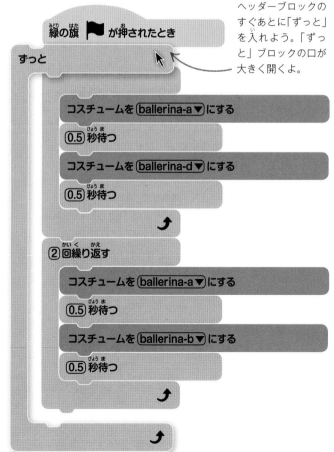

■■■■ **うまくなるヒント**

「〜回繰り返す」ループと「ずっと」ループ

ループで使った 2 つのブロックの一番下を見てみよう。他のブロックを下につなげられるのはどちらか、見ただけでわかるかな？「〜回繰り返す」ブロックの下にはでっぱりがあるけれど、「ずっと」ブロックにはないね。「ずっと」ブロックは終わることなくくり返すので、ブロックをつなげるためのでっぱりは必要ない。でも「〜回繰り返す」ブロックは、決まった回数ループしてから次のブロックを実行するから、でっぱりがいるんだ。

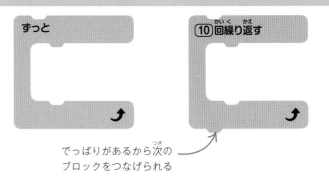

でっぱりがあるから次の
ブロックをつなげられる

改造してみよう

このプロジェクトでは、ダンサーの数を好きなだけ増やせるぞ。スクラッチにはスプライトがたくさんあるし、コスチュームをいくつも持っているものが多い。コスチュームが 1 つしかなくても、向きを変えたりジャンプさせたりすればいいね。

▼向きを変える

「180度回す」というブロックを使えば、キャラクターを左右逆向きにできる。「ずっと」ループが終わる直前に入れておけば、ループが実行されるたびにスプライトが向きを変え、ダンスをしているように見えるよ。

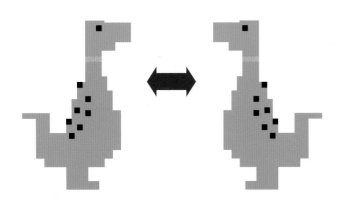

スプライト
がさか立ち
しないよう
にしている

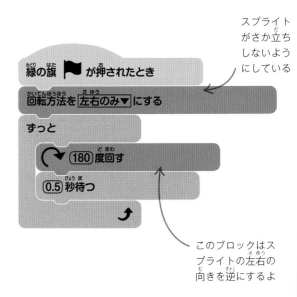

このブロックはスプライトの左右の向きを逆にするよ

▼ふりつけを個性豊かに

スプライトライブラリーでダンスをしているスプライトをさがしてみよう。どれにも、いろいろなポーズのコスチュームが用意されているはずだ。右のようにすべてのコスチュームを順に使うかんたんなコードから始めてみよう。次にコスチュームの中からダンスにぴったりのものを選び、選んだものだけを順に使うコードにする。ループを増やすか、「調べる」のブロックを使ってキーボードでコントロールできるようにするのもいいね。

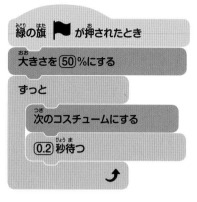

```
緑の旗 🏴 が押されたとき

大きさを 50 %にする

ずっと
    次のコスチュームにする
    0.2 秒待つ
```

▶ジャンプもいいよね！

バレリーナをもう1人増やして下のコードを作り、ジャンプするようにしてみよう。コスチュームを変えることで、本当にジャンプしているように見えるよ。ダンスが音楽に合うよう、実験してタイミングを調整してね。

```
緑の旗 🏴 が押されたとき

回転方法を 左右のみ▼ にする

ずっと
    コスチュームを ballerina-b▼ にする
    3 秒待つ
    0 度に向ける
    50 歩動かす
    コスチュームを ballerina-c▼ にする
    0.5 秒待つ
    180 度に向ける
    50 歩動かす
```

0を入力して動く向きを上にする

180を入力して動く向きを下にする

■■■ためしてみよう

さけぼう！

すべてのスプライトに下の小さなコードを加えてあげよう。「x」キーを押すとスプライトが全員で「パーティー！」とさけぶぞ。

```
x▼ キーが押されたとき

パーティー！ と 2 秒言う
```

パーティー！

動物レース

どの動物が一番速いのかな？ 犬？ それともコウモリ？ このゲームで勝負を決めよう。2人のプレイヤーがボタンを連打する楽しいレースゲームだ。

しくみ

このゲームでは、相手よりも先に画面を横断して風船までたどり着けばいい。すばやくキーを押し続けなければならないぞ。プレイヤーが「z」か「m」のキーを何度も速く押すほど、スプライトは画面の左から右へとすばやく動くんだ。

◀メッセージを送る

このプロジェクトで、スクラッチのメッセージ機能の使い方を覚えよう。スプライトから他のスプライトへ情報を送れるようになる。右の図ではネコが犬とコウモリにレースの開始を伝えているね。

カウント

◀変数

ネコのコードでは、変数と呼ばれる入れ物に情報を入れている。レースを始めるとき、ネコがカウントするための数を変数に入れるよ。

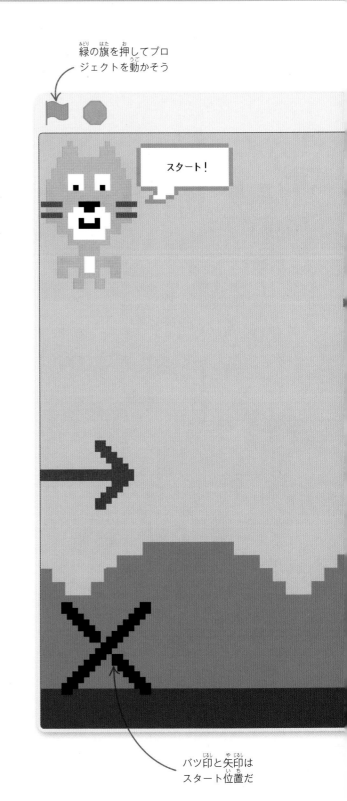

緑の旗を押してプロジェクトを動かそう

スタート！

バツ印と矢印はスタート位置だ

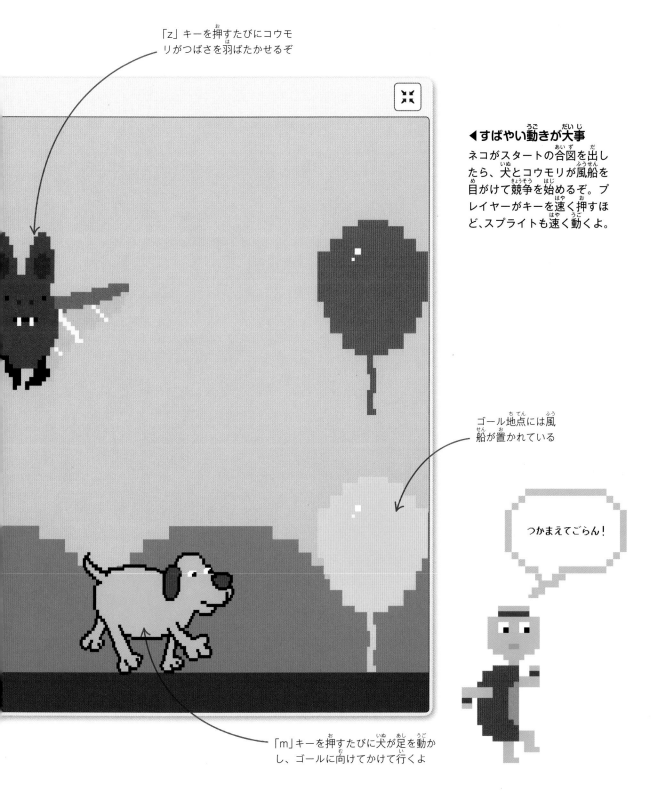

「z」キーを押すたびにコウモリがつばさを羽ばたかせるぞ

◀すばやい動きが大事

ネコがスタートの合図を出したら、犬とコウモリが風船を目がけて競争を始めるぞ。プレイヤーがキーを速く押すほど、スプライトも速く動くよ。

ゴール地点には風船が置かれている

つかまえてごらん!

「m」キーを押すたびに犬が足を動かし、ゴールに向けてかけて行くよ

ネコのスターター

「1、2、3…スタート！」と言ってレースを始めるから、ネコに数え方を教えておこう。コンピューターのプログラムでは、情報を入れておくのに変数というものを使う。プレイヤーの名前やゲームのスコアなど、入れるものは自由に変えられる。ここでは「カウント」という変数に数を入れて、ネコがカウントできるようにするよ。

1、2、3…
スタート！

1　新しいプロジェクトを始めよう。新しい変数を作るため、ブロックパレットのオレンジ色の「変数」ボタンを押し、次に「変数を作る」ボタンを押すよ。

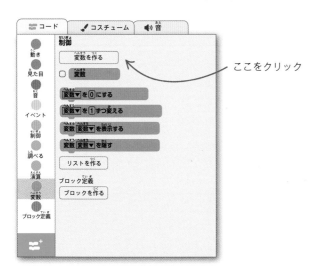

ここをクリック

2　小さなウィンドウが表示されて、新しい変数の名前を聞いてくる。「カウント」と入力して、他の設定は変えずに「OK」ボタンを押してね。

ここに「カウント」と入力する

3　ブロックパレットに新しいオレンジ色のブロックがあらわれたね。「カウント」ブロックの左のチェックボックスのチェックを外そう。ステージから「カウント」の表示が消えるはずだ。

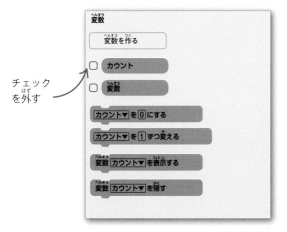

チェックを外す

4　ネコのために下のコードを作るよ。まず変数「カウント」の中に0を入れているね。それからループに入り、ループが実行されるごとに「カウント」の中の数に1を足し、その数をネコに言わせている。ループを3回くり返してから、ネコが「スタート！」と言ってレースが始まるぞ。

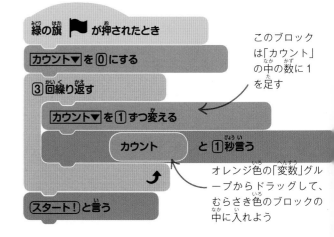

このブロックは「カウント」の中の数に1を足す

オレンジ色の「変数」グループからドラッグして、むらさき色のブロックの中に入れよう

5 緑の旗を押してコードを実行してみよう。「〜と〜秒言う」ブロックのウィンドウにオレンジ色の「カウント」ブロックがセットされているから、ネコはループのたびに変数の値を言うね。「〜回繰り返す」ブロックの数を大きくすれば、ネコに何度も数を言わせられるぞ。

・・・ ことば

変数

変数は情報を入れておく箱のようなものだ。そして変数の名前は、何を入れたかがわかるようにはっておくラベルだ。だから変数を作ったら、「ハイスコア」とか「プレイヤー名」というようにわかりやすい名前をつけよう。スクラッチの変数には、数やことばなど何でも入れられる。そしてプログラム実行中に中身を好きなように変えられるんだ。

ハイスコア

レース会場と参加者

ネコの準備はできたから、今度はステージを整えて、犬とコウモリのスプライトを用意しよう。レース会場には、スタートとゴール地点を示すためのスプライトも置かないといけないぞ。

6 背景を加えよう。スプライトリストの右側にある背景のボタンをクリックして、背景ライブラリーから「Blue Sky」を読みこもう。

ここをクリックして背景
ライブラリーを開く

背景を選ぶ

7 レースの参加者のスプライトを準備しよう。まずは犬だ。スプライトリストのボタンをクリックして、ライブラリーから「Dog2」をプロジェクトに読みこもう。

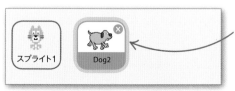

Dog2がスプ
ライトリスト
にあらわれる

8 スプライトリストでDog2が選ばれているかチェックしてから、ブロックパレットの上にあるコスチュームタブをクリックする。コスチュームが3つ表示されるはずだ。犬が走っている最初の2つは使えるけれど、3つ目はいらないぞ。削除してしまおう。

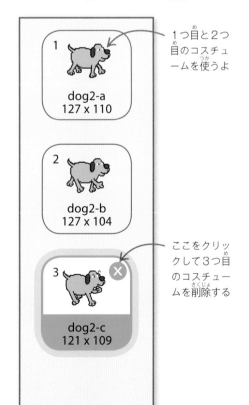

1つ目と2つ
目のコスチュ
ームを使うよ

ここをクリッ
クして3つ目
のコスチュー
ムを削除する

9 犬にスタート地点を教えないといけないね。新しいスプライトの「Button5」を加えよう。黒いバツ印だね。ステージにあらわれるから、ステージ左下までドラッグしておこう。

黒いバツ印が犬のスタート地点だ

10 プロジェクトで使うスプライトには、意味のある名前がついていた方がいい。コードが理解しやすくなるよ。Dog2は「犬」に、Button5は「犬のスタート」という名前に変えてしまおう。

スプライトの新しい名前をここに入力する

スプライト	犬のスタート	↔ x	-211	↕ y	-129

表示する 👁 👁̸ 大きさ 100 向き -90

犬のスタート

青いわくで囲まれているのが今選ばれているスプライトだ

11 犬のスプライトを選び、ブロックパレットの上にあるコードタブをクリックして下のコードを組むよ。正しいスタート地点につかせるためのコードだ。プロジェクトを実行してみよう。

緑の旗 🏴 が押されたとき

犬のスタート▼ へ行く

最前面▼ へ移動する

ドロップダウンメニューから「犬のスタート」を選ぶ

犬がバツ印のうしろにかくれないように、前に出すためのブロックだ

黒いバツ印の前に出なきゃ。

12 新しいスプライトを使って、ゴール地点も作っておこう。「Balloon1」を選んで「犬のゴール」に名前を変える。風船の色を変えるには、コスチュームタブをクリックして黄色いコスチュームを選べばいい。ステージにあらわれた風船は、右端のゴール地点までドラッグしよう。

風船の色は
わすれずに黄色に
変えるんだぞ。

13 競争相手が必要だから、スプライトリストのボタンをクリックして「Bat」を選び、名前を「コウモリ」に変える。コスチュームタブを押すと、羽ばたいているコスチュームが2つある。これはありがたいね。

14 「Arrow1」というスプライトを読みこんで、名前を「コウモリのスタート」に変える。黒いバツ印の上にドラッグしよう。風船も加えて「コウモリのゴール」に名前を変える。右端の犬のゴールのすぐ上に置こう。

風船にタッチ
すればゴール

15 コウモリのスプライトを選び、下のコードを作ってあげよう。プロジェクトを実行して、犬とコウモリがスタート地点に並ぶかチェックだ。

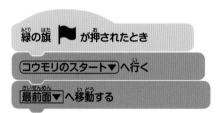

緑の旗 🚩 が押されたとき

コウモリのスタート▼ へ行く

最前面▼ へ移動する

レース用のコード

犬もコウモリも、レースをするためのコードが必要だ。レース用のコードブロックは、ネコが「スタート！」と言うときに送られてくるメッセージで動き始める。犬とコウモリは、このメッセージを同時に受け取るぞ。

スタート！

16 ネコのスプライトを選び、「メッセージ1を送る」ブロックをコードの最後にくっつけよう。このブロックは、他のすべてのスプライトにメッセージを送るんだ。

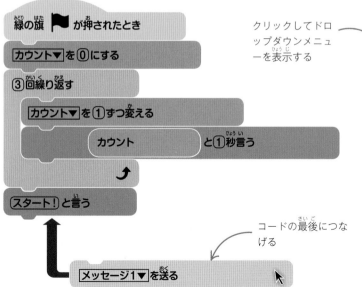

緑の旗 🚩 が押されたとき

カウント▼ を ⓪ にする

③回繰り返す

　カウント▼ を ① ずつ変える

　　カウント　　　　と ① 秒言う

　　　　　　　　↱

スタート！ と言う

メッセージ1▼ を送る

コードの最後につなげる

17 「メッセージ1を送る」ブロックの三角形をクリックして、ドロップダウンメニューから「新しいメッセージ」を選ぼう。メッセージ名に「レーススタート」と入力して「OK」ボタンをクリックしてね。

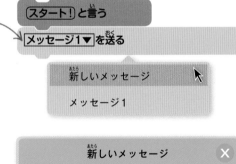

スタート！ と言う

メッセージ1▼ を送る

新しいメッセージ

メッセージ1

クリックしてドロップダウンメニューを表示する

新しいメッセージ　✕

新しいメッセージ名：

レーススタート

キャンセル　OK

18 レースが始まるときにネコが「レーススタート」というメッセージを送るようになったね。今度は犬とコウモリのコードに手を加えて、メッセージに反応するようにしよう。まず犬を選んで下のコードを作ろう。2つの「〜まで待つ」ブロックが並んでいるのに注意してね。プレイヤーが「m」キーを押したあと、いったん指を離さないとスプライトが止まってしまうようになっている。キーを押したままにしても、スプライトが動き続けることはないぞ。

「レーススタート」というメッセージが送られてくるのを待っているよ

`レーススタート▼ を受け取ったとき`

`ずっと`

「m」キーが押されるのを待つぞ

`m▼ キーが押された まで待つ`

それから「m」キーから指が離れるのを待つぞ

`m▼ キーが押された ではない まで待つ`

`10 歩動かす`

`次のコスチュームにする`

犬のスプライトが「犬のゴール」の風船に着いたかチェックするよ

このブロックは緑色の「演算」グループからさがそう

`もし 犬のゴール▼ に触れた なら`

`すべてを止める▼`

犬が風船に着いたらゲームを終わらせるぞ

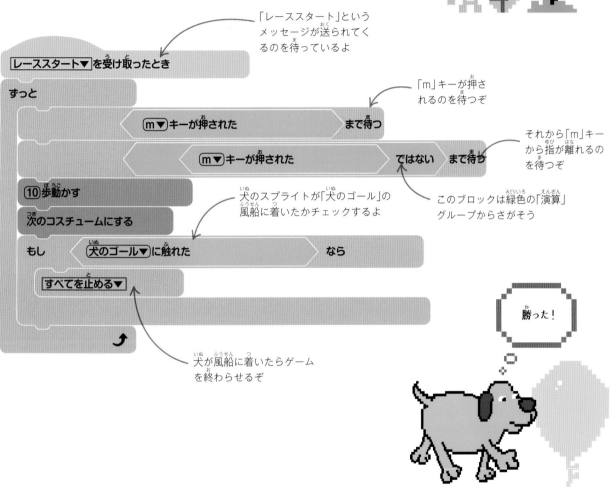

勝った！

・・・ **ことば**

論理演算子：「〜ではない」

「〜ではない」ブロックは、中に入っているブロックの答え（「はい」または「いいえ」）を逆にするんだ。何かが「起きていない」ことをチェックするのに便利なブロックだよ。「はい」か「いいえ」の答えを変えられるブロックは、「〜ではない」「〜かつ〜」「〜または〜」の3つある。プログラマーはこれらを論理演算子と呼んでいる。この本では3つとも使うことになるよ。

19 プロジェクトを実行してみよう。ネコが「スタート！」と言って からは、「m」キーを押して指を離すたびに犬が前に進むはずだ。 そして風船にたどり着くと、犬は反応しなくなる。もしそうなら ないなら、前に読んだページにもどってコードを見直してみよう。

20 続いて、コウモリ用に同じようなコードを作ろう。ちが うのは、使うキーが「m」ではなく「z」だということ、 そしてコウモリ用のゴール地点を使うところだね。

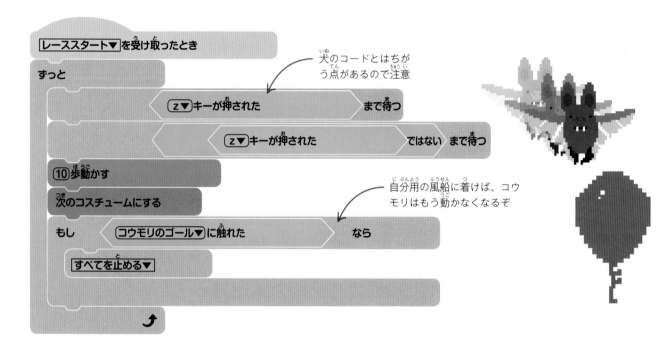

犬のコードとはちが う点があるので注意

自分用の風船に着けば、コウ モリはもう動かなくなるぞ

レーススタート▼ を受け取ったとき

ずっと

    z▼ キーが押された まで待つ

    z▼ キーが押された ではない まで待つ

    10 歩動かす

    次のコスチュームにする

    もし コウモリのゴール▼ に触れた なら

        すべてを止める▼

21 さあ、スプライト同士のレースをして みよう。犬なら鼻、コウモリなら翼が つき出ているから、どちらかが有利に なってしまうかもしれないね。そんな ときはスタートかゴールのスプライト を動かして調整しよう。

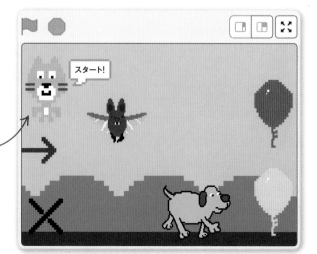

レースのじゃまにならな いよう、ネコはドラッグ して左上に動かそう

改造してみよう

このレースゲームはとてもシンプルだけれど、ちょっとした改造をすればもっとおもしろくできるよ。かんたんに取り組める改造方法のヒントを書いておこう。ただし改造をするときは、プロジェクトのコピーを使って作業するのがいいね。オリジナルをとっておけば、失敗をおそれずに実験できるぞ。

▶音を加える

ネコのスプライトに「〜の音を鳴らす」ブロックを追加して、レースが始まるときに効果音を鳴らそう。ネコのスプライトには「ニャー」という音がついているけれど、音ライブラリーから別の音も読みこめる。音タブをクリックしてからスピーカーのボタンを押せばいい。

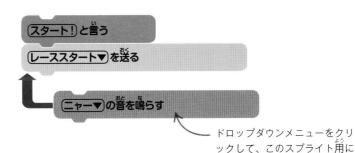

ドロップダウンメニューをクリックして、このスプライト用に読みこまれている音から選ぶ

この数を0ではなく4にする

`カウント▼ を 4 にする`

`3 回繰り返す`

1を−1にしてみよう

`カウント▼ を −1 ずつ変える`

`カウント と 1 秒言う`

◀カウントダウン

ネコのコードの真ん中あたりを右のように変えてみよう。何が起きるかわかるかな？

わたしが一番！

◀動物を増やす

レースに参加する動物を増やしてみよう。スプライトライブラリーから「Parrot」のように、動きをアニメーションするのにちょうどよいコスチュームを持つものを選ぼう。そして新しく加える動物ごとにスタートとゴール用のスプライトを追加し、キーボードのちがうキーで動かせるようコードを調整するんだ。スプライトのサイズを変えたいなら「大きさを〜%にする」のブロックを使えばいい。

▼コントロールをむずかしくする

1つのキーを何度も押すのではなく、2つのキーを交ごに押すようにすれば、ゲームをむずかしくできるよ。最初のキーが押されて指が離れたあとに、2つ目のキーが押されるのを待てばいい。2つ目のキーも押してからいったん離さないといけないよ。下は犬のコードを改造する場合だ。コウモリのコードも同じように変えればいいけれど、2つ目のキーは「n」ではなく「x」を使うようにしよう。

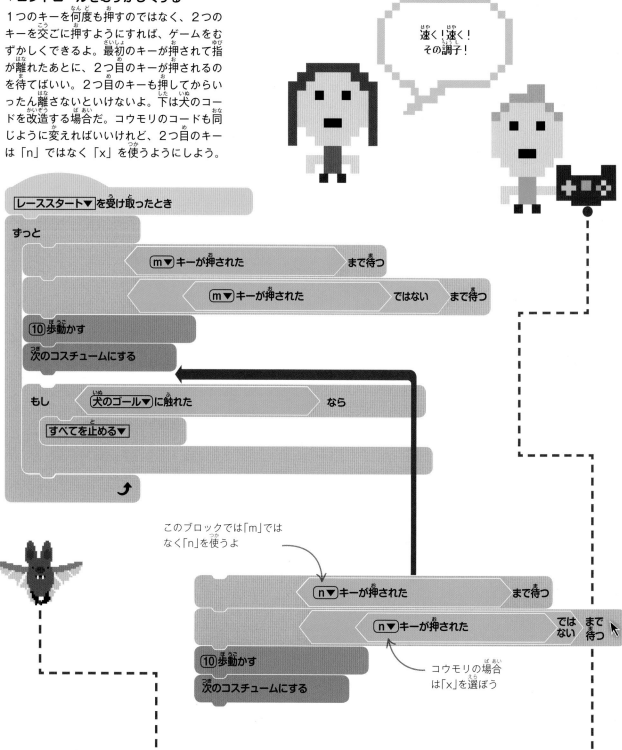

速く！速く！
その調子！

|レーススタート▼|を受け取ったとき

ずっと

　　　　　|m▼|キーが押された　　　　まで待つ

　　　　　|m▼|キーが押された　　　ではない　まで待つ

|10|歩動かす

次のコスチュームにする

もし　　|犬のゴール▼|に触れた　　　なら

　　　|すべてを止める▼|

このブロックでは「m」ではなく「n」を使うよ

　　　　　|n▼|キーが押された　　　　まで待つ

　　　　　|n▼|キーが押された　　　ではない　まで待つ

|10|歩動かす

次のコスチュームにする

コウモリの場合は「x」を選ぼう

順位を表示する

今のままだと、どちらが勝ったかを判定するのがむずかしいときがあるね。そこで、ゲーム終了時にそれぞれの動物の順位を表示するようにしよう。

1 ブロックパレットの「変数」ボタンを選び、「新しい変数を作る」をクリックしよう。「順位」という変数を作ってね。

新しい変数

新しい変数名:

順位

● すべてのスプライト用　○ このスプライトのみ

キャンセル　OK

2 それから「順位を～にする」ブロックをネコのコードの最後に追加して、ウィンドウ内の数を0から1に変えよう。

スタート！ と言う

レーススタート▼ を送る

順位▼ を ① にする

この数を1にする

3 犬のコードの終わりの部分を、下のように変えてね。新しいブロックを2つ加えて、「～を止める」ブロックではドロップダウンメニューから「このスクリプト」を選ぶよ。コウモリも同じように改造しよう。

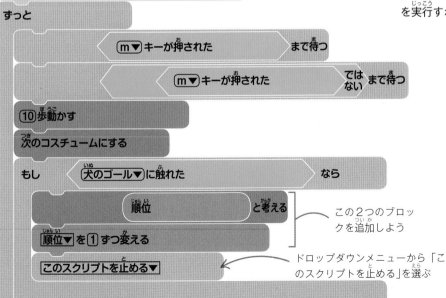

レーススタート▼ を受け取ったとき

ずっと

　　m▼ キーが押された まで待つ

　　m▼ キーが押された ではない まで待つ

10 歩動かす

次のコスチュームにする

もし　犬のゴール▼ に触れた　なら

　　順位 と考える

　　順位▼ を ① ずつ変える

　　このスクリプトを止める▼

この2つのブロックを追加しよう

ドロップダウンメニューから「このスクリプトを止める」を選ぶ

4 では試してみよう。ネコのコードが「順位」に1をセットしているから、最初にゴールに着いたスプライトが「順位と考える」ブロックを実行すると、吹き出しで「1」が表示される。このあと「順位」の値には1が足されて2になっている。だから2着のスプライトがゴールしたとき「順位と考える」ブロックを実行すれば「2」が表示されるんだ。

2

1

ゴボに聞いてみよう

未来のことを決めるのはとてもむずかしいものだね。このプロジェクトではゴボというふしぎな生き物に未来をうらなってもらうよ。このプロジェクトで乱数と変数について学び、コンピューターがどのように判断しているかを理解しよう。

緑の旗はプロジェクトを動かす

赤いボタンはプロジェクトを止める

しくみ

ゴボに何か質問をすると「はい」か「いいえ」で答えてくれる。質問は何でもいいよ。「億万長者になれますか？」でもいいし、「宿題をやらずにゲームで遊んだ方がいいですか？」でもかまわない。ゴボは少し考えこむようにしてから答えるけれど、その答えはランダムに決められたものでしかないぞ。

◀ゴボ

あいきょうのあるゴボは、このプロジェクトに登場するただ1体のスプライトだ。コスチュームは3つあるので、これを利用してゴボを生き生きと動かそう。

◀ランダムに決める

サイコロをふると1から6までの数がランダムに決まるね。スクラッチでは同じようにしてランダムに決まる「乱数」を使える。プログラムの反応を乱数で決めれば、プレイヤーには予想がつかないぞ。

このボタンをクリックすれば全画面表示からもとにもどるよ

「はい」か「いいえ」で答えられます。

質問を入力してスペースキーを押してください。

◀質問してみよう

未来について質問すれば、ゴボがしんけんに答えてくれる。でも答えが出ていることは聞かないようにしよう。たぶんゴボはまちがえてしまうよ!

プロジェクトを動かすと、ゴボが吹き出しを使ってプレイヤーとやりとりをするよ

未来を見る準備はいい?

場面を整える

プロジェクトは、スプライトと背景を選ぶことから始める場合が多いね。番号の順に作業して、「ゴボに聞いてみよう」で使うゴボのスプライトと、ふさわしい背景をプロジェクトに読みこもう。

1 新しいプロジェクトを始めたら、まずネコのスプライトを削除しよう。スプライトリストでネコを選び、アイコン右上の削除ボタンを押せばいい。

ここをクリックしてスプライトを削除する

2 次にゴボのスプライトを読みこむよ。スプライトリストでスプライトのボタンをクリックし、ライブラリーから「Gobo」を選ぶ。ゴボがスプライトリストにあらわれるぞ。名前をゴボに変えておこう。

3 今のままではゴボが小さいので、下のコードで大きくしてあげよう。プロジェクトを実行してみて、大きくなるかチェックだ。

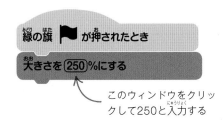

このウィンドウをクリックして250と入力する

4 ゴボが質問に答える場所は、シリアスなふんいきの方がいいね。ステージ右下の背景のボタンをクリックして、背景ライブラリーから「Greek Theater」を選ぼう。背景があらわれたら、ゴボをドラッグしてステージの中央に置こう。

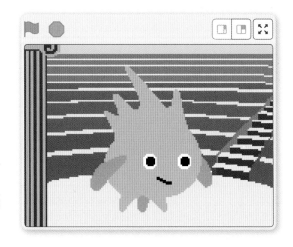

5 3番で作ったコードにブロックをつなげて下のようにしてね。プロジェクトを実行するとすぐにゴボがしゃべるはずだ。スペースキーを押すまで動きが止まるね。でもゴボはまだ質問には答えないぞ。

「〜と言う」ブロックは、表示している時間が決まっていない。だから次の「〜と言う」ブロックが実行されるまで、セリフは表示されたままだよ

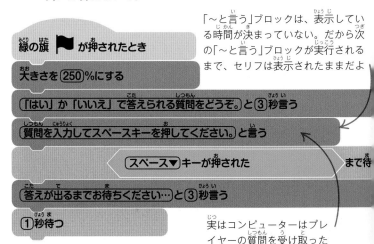

実はコンピューターはプレイヤーの質問を受け取ったふりをしているんだ

答えをランダムに決める

コンピューターの動作は、たいていは予想がつくものだ。同じプログラムに同じ入力をすれば、同じ出力（結果）が返ってくることが多い。でもこのプロジェクトでは、そうはしたくないぞ。ゴボのコードで乱数を使い、どちらの答えが返ってくるかわからないようにしよう。

6 ゴボが答えを返すようにするため、ブロックを追加しよう。ゴボの答えは下の2通りなので、答えの1番と2番というふうに呼ぶよ。

はい！　　いいえ！

答えの番号＝1　　答えの番号＝2

8 小さなウィンドウがポップアップ表示されるから、変数名のボックスに「答えの番号」と入力して「OK」ボタンを押そう。

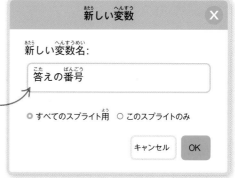

新しい変数

新しい変数名:

答えの番号

変数名はここに入力だ

○ すべてのスプライト用　○ このスプライトのみ

キャンセル　OK

7 ゴボのコードは、何番の答えを返すか決めたら「答えの番号」という変数に記録する。この変数を見れば、決めておいた答えがわかるわけだね。新しい変数を作るには、ブロックパレットの一番下にあるオレンジ色の「変数」ボタンを選び、「変数を作る」ボタンを押そう。

ここをクリックする

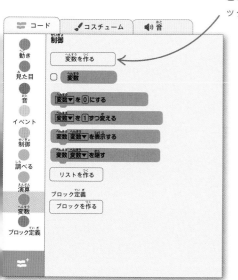

9 新しい変数のブロックがブロックパレットに表示されるはずだ。「変数」のグループには他にもブロックがあるね。

このチェックボックスにチェックが入っていると、変数の値がステージに表示される。今はチェックを入れたままにしておこう

このブロックは変数に値を入れるときに使うぞ

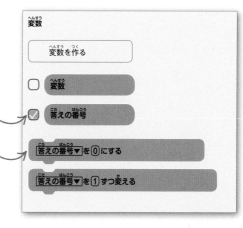

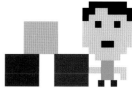

■■■ **うまくなるヒント**

乱数

次にどの数が出てくるかわからないものを乱数と呼び、サイコロでも乱数を作れるんだ。サイコロの目は1から6のうちの1つに決まるけれど、どれになるかはふってみないとわからないよ。スクラッチでは「〜から〜までの乱数」ブロックを使う。このブロックをコードエリアにドラッグしてクリックすれば実験できるぞ。

選ばれるかもしれない数のうち最も小さいもの

〔1〕〔4〕

ブロックをクリックすれば、吹き出しで選んだ数を表示するぞ。クリックするたびに数がランダムに選ばれるね

① から ⑥ までの乱数

選ばれるかもしれない数のうち最も大きいもの

〔3〕〔6〕

---

10 ゴボの答えの番号をコードでランダムに決めなければならないぞ。ゴボのコードの最後に「答えの番号を〜にする」ブロックを追加して、ドロップダウンメニューから「答えの番号」を選ぶ。このブロックのウィンドウに、緑色の演算グループの「〜から〜までの乱数」ブロックをドラッグしてきて入れよう。「〜から〜までの乱数」の2番目の数は2に変えてしまうよ。これで、コイントスで表か裏かを決めるように1か2のどちらかをランダムに決められるね。

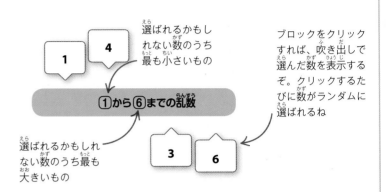

答えの番号▼ を 〇 にする

2番目の数を2に変えよう

① から ② までの乱数

---

11 今度は、右のようにブロックを組み立ててコードの最後に追加しよう。これは変数「答えの番号」が1のとき、ゴボに「はい！」と答えさせるためのものだ。「〜と言う」ブロックは変数の値が1のときだけ実行される。1でないときはとばされてしまい、実行されないんだ。

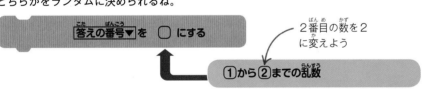

もし 答えの番号 ＝① なら

はい！ と言う

このブロックをゴボのコードの最後につなげる

---

12 プロジェクトを何回か実行してみよう。半分くらいの回数はゴボが「はい！」と言い、残りは何も言わないのではないかな？ ステージの上の方に表示されている答えの番号は、「はい！」と答えたときは1で、それ以外は2になっているはずだよ。ここで右のブロックを追加して、番号が2のときにゴボが「いいえ！」と言うようにしよう。

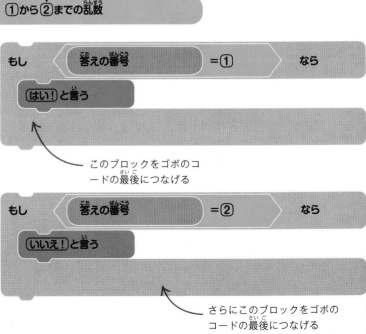

もし 答えの番号 ＝② なら

いいえ！ と言う

さらにこのブロックをゴボのコードの最後につなげる

13 今のところコードは下のようになっているはずだ。プロジェクトを何回か実行して、ゴボがランダムに「はい！」か「いいえ！」と言うのを見てみよう。もしうまく動かないならコード全体をていねいに見直そう。

ちょっと待って！
答えがわかってきた…

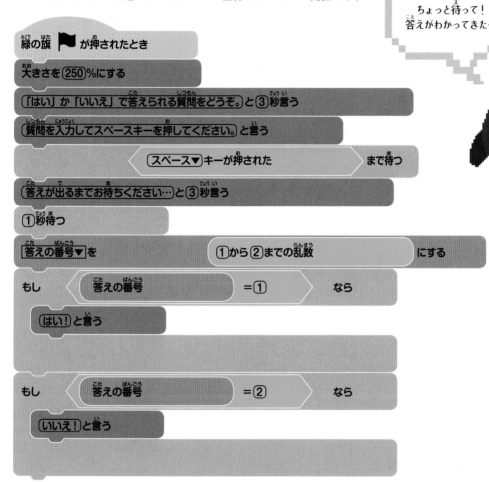

緑の旗 🏳 が押されたとき

大きさを 250 %にする

「はい」か「いいえ」で答えられる質問をどうぞ。 と 3 秒言う

質問を入力してスペースキーを押してください。 と言う

スペース▼ キーが押された まで待つ

答えが出るまでお待ちください… と 3 秒言う

1 秒待つ

答えの番号▼ を 1 から 2 までの乱数 にする

もし 答えの番号 = 1 なら

　はい！ と言う

もし 答えの番号 = 2 なら

　いいえ！ と言う

14 ここまで来たら「変数」グループを選び、「答えの番号」の前のチェックボックスからチェックを外してね。ステージに表示されている番号を消してしまうんだ。

スクラッチのオフライン版を
使っているなら、ときどき
セーブするのを忘れない
ようにしよう。

ここのチェックを外す

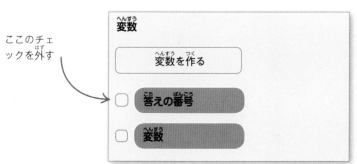

変数

変数を作る

☐ 答えの番号

☐ 変数

15 さあ、プロジェクトを実行して、大事な質問に答えてもらおう。ゴボはどう答えるかな？

クリスマスに子犬をもらえる？

自分はすぐれたプログラマーだろうか？

宿題を今すぐやらないといけない？

妹にやさしくした方がいい？

> **うまくなるヒント**
>
> # ふくざつな判断

「もし〜なら」ブロックの中の質問の答えによって、ブロックを実行したり実行せずにとばしたりしたね。このプロジェクトでは「もし〜なら」ブロックの中に緑色の「演算」グループのブロックを入れて、変数の値をチェックしたよ。うすい青色の「調べる」ブロックでは、質問の答えが「はい」か「いいえ」になる。でも「演算」ブロックでは、答えは「正しい（真）」

か「まちがい（偽）」になるんだ。数をくらべるために使える「演算」ブロックは「＝」（等しい）、「＞」（より大きい）、「＜」（より小さい）の3つだ。それから、「もし〜なら」ブロックで使ったような「真」か「偽」になる条件をブール条件と呼ぶよ。この名前は、イギリスの数学者ジョージ・ブール(1815-1864)の名から取られたんだ。

「もし〜なら」ブロックの中にいろいろなブロックを入れられる

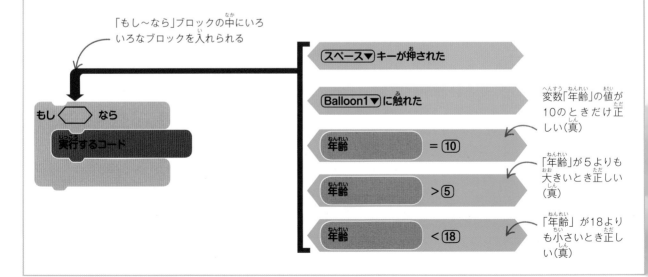

スペース▼キーが押された

Balloon1▼に触れた

もし ＜ ＞ なら
　実行するコード

年齢 ＝ 10
変数「年齢」の値が10のときだけ正しい（真）

年齢 ＞ 5
「年齢」が5よりも大きいとき正しい（真）

年齢 ＜ 18
「年齢」が18よりも小さいとき正しい（真）

改造してみよう

乱数で使う数を増やすと「はい」と「いいえ」だけでなく、他の答えも返せるようになるね。改造の方法をしょうかいするから、好きなものを試してみよう。

▶ **さらに質問する**

ゴボに1回質問したあとに、さらに別の質問をできるようにしよう。今まで作ったコードを「ずっと」ループの中に入れるんだ。図のようにすれば、ゴボはプレイヤーに次の質問を求めるよ。

今までに作った
コードをここに
はめこむよ

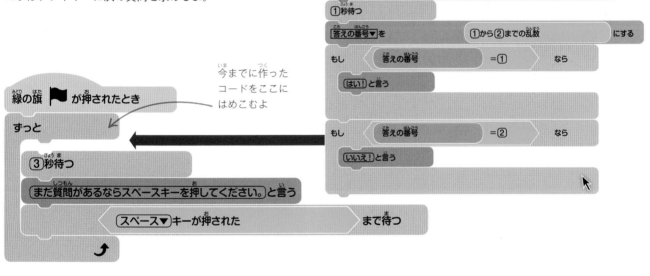

▶ **特殊効果**

ゴボの答えをもっと楽しいものにしよう。ゴボが答えるごとに色とコスチュームを変えてはどうだろう？効果音を加えたり、ダンスのステップをふませたり、スピン（回転）させるのもいいね。

よくそんなことを
聞けるね！

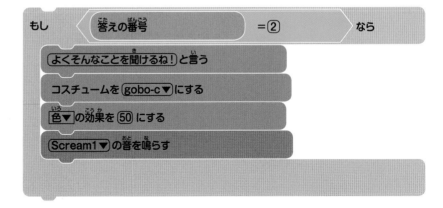

▼答えの種類を増やす

答えの種類を増やせばもっと楽しくなるね。それには「〜から〜までの乱数」ブロックのウィンドウの中の数を大きくし、新しく使う数ごとに「もし〜なら」ブロックを追加すればいい。「もし〜なら」ブロックの中には「〜と言う」ブロックを入れるよ。下の答えは6種類だけど、もっと多くしてもいいんだよ。

この数を2から6に変える。大きい方の数は用意する答えの種類と同じにしよう。そうしないと決して表示されない答えが出てきてしまうぞ

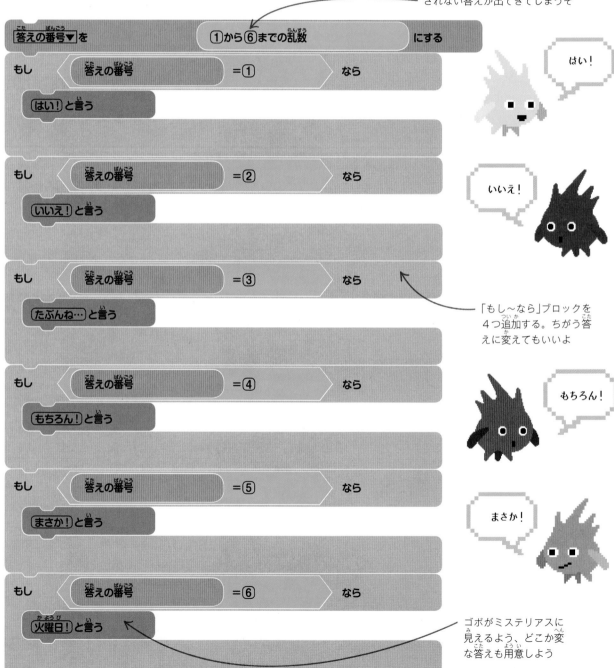

「もし〜なら」ブロックを4つ追加する。ちがう答えに変えてもいいよ

ゴボがミステリアスに見えるよう、どこか変な答えも用意しよう

▼数をかぞえる馬

「はい」と「いいえ」で答えられる質問だけにする必要はないぞ。「私は何才でしょう?」とか「テストの点数は?」というような、数で答える質問にも乱数で答えられる。新しいプロジェクトを作って「Horse」というスプライトを読みこもう。そして下のコードを作れば、馬がジャンプして地面をたたく回数で答えを教えてくれるよ。音ライブラリーから馬の音を選んで効果音にするのもいいね。

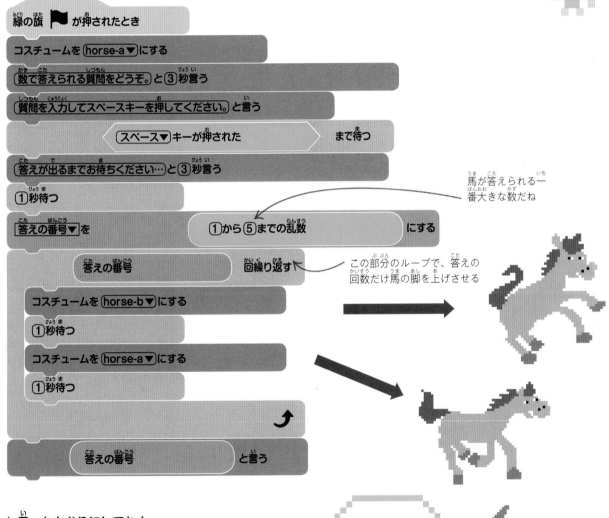

緑の旗 ▶ が押されたとき

コスチュームを horse-a▼ にする

数で答えられる質問をどうぞ。と 3 秒言う

質問を入力してスペースキーを押してください。と言う

スペース▼ キーが押された まで待つ

答えが出るまでお待ちください… と 3 秒言う

1 秒待つ

答えの番号▼ を 1 から 5 までの乱数 にする

> 馬が答えられる一番大きな数だね

答えの番号 回繰り返す

> この部分のループで、答えの回数だけ馬の脚を上げさせる

コスチュームを horse-b▼ にする

1 秒待つ

コスチュームを horse-a▼ にする

1 秒待つ

答えの番号 と言う

▶言ったとおりにしてね!

質問に答えるのではなく、ゴボがランダムに指示を出すプロジェクトにもできるよ。「階段を上り下りして」、「2回ジャンプして」、「みんなが知っている歌を歌って」という感じだ。ゴボのコードの「〜と言う」ブロックのことばを変えればいい。ゴボの気分がわかるような見た目に変えることもできるぞ。

ハイキングに行こう!

変顔をかこう

スクラッチでは、自分の好きなスプライトをかいて楽しむこともできる。
スプライトライブラリーに用意されたスプライトでなくても使えるんだ。
自分で作ったスプライトを使えば、プロジェクトの見た目がユニークにな
るね。このプロジェクトでは目、鼻、口やぼうしなどを作って並べていく。
どんな顔になるかな。

しくみ

最初、中央に何もないのっぺらぼうの顔があらわれる。まわりには目や
鼻などのパーツが置かれているから、ドラッグして変顔を作るんだ。緑
の旗をクリックすればリセットされ、パーツはもとの位置にもどるよ。

目はいくつも作るように
するけれど、ほとんどの
パーツは1つだけだ

のっぺらぼ
うだよ

ちょうネク
タイ

口だね

どんどん読み進めて
変顔をいっぱい作ろう！

▲どんな顔になるかな？

このプロジェクトでは、君の創造力と想像力を
フルに使おう。人間の顔にする必要はないよ。
エイリアンやモンスターの顔でもいいんだ。

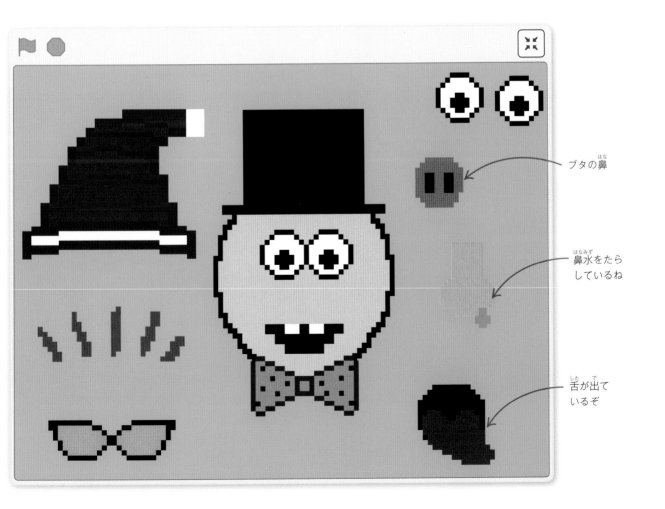

ブタの鼻

鼻水をたら
しているね

舌が出て
いるぞ

絵をかこう

パソコンのデスクトップをすっきりさせて、スクラッチのペイントエディターで絵をかこう。使いやすいペイントエディターが用意されているよ。顔のパーツやぼうしなどをかくのに便利なツールがすべてそろっているぞ。

1 新しいプロジェクトを開始したらスプライトリストを見て、ネコのスプライトの右上にある削除ボタンをクリックしよう。そうしたら新しいスプライトをかいていくぞ。リスト右下にあるスプライトのメニューから筆のボタンを選び、最初のスプライト作りに挑戦だ。

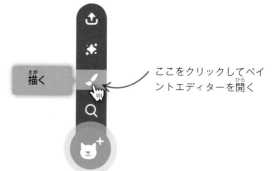

描く

ここをクリックしてペイントエディターを開く

2 ペイントエディターが開いて自分だけのスプライトがかける。左下に「ビットマップに変換」というボタンが表示されていたら、それをクリックして「ベクターに変換」に変えておこう。

取り消し
やり直し

コスチューム　　コスチューム1

現在選択している色

塗りつぶし　　　　　10

筆　　　　　　　　直線

円　　　　　　　　四角形

テキスト　　　　　線で囲まれた中を塗りつぶす

消しゴム　　　　　一部を選ぶときに使う

ベクターに変換

3 まずペイントエディター左上にある筆のボタンをクリックする。そして「塗りつぶし」のメニューを開いて色が黒になるよう調整してから「だ円」をかいてみよう。変顔の輪かくだ。よく見ると小さな十字を丸で囲んだしるしがある。ペインティングエリアの中心を示すしるしだね。このしるしがほぼ中央にくるようにしてだ円をかこう。

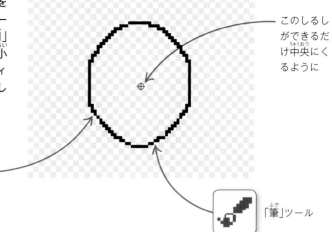

このしるしができるだけ中央にくるように

きれいなだ円でなくてもいいけれど、線の端がきちんとつながって輪になるようにしよう

「筆」ツール

4 だ円がかけたら「塗りつぶし」ツールを使うぞ。バケツからペンキを注いでいるようなイラストのボタンをクリックしよう。次に左上の塗りつぶしのメニューを開いて顔の色をセットする。それからだ円の中をクリックすれば、その色でぬりつぶされるよ。

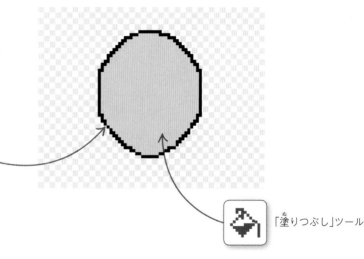

もし背景に色がぬられてしまったら、取り消しボタンを押してから、だ円の輪かく線に切れているところがないかチェックしよう

「塗りつぶし」ツール

5 なかなかいい調子だね。頭がかけたよ！最後にスプライトの名前を「スプライト1」から「頭」にしよう。スプライトリストの上の情報パネルで変えられるよ。

ここでスプライト名を変える

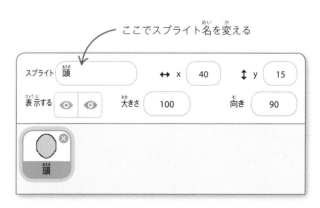

6 このプロジェクトを実行したときに、頭がステージの中央にこないと困るね。プロジェクトを実行した直後に、すべてのスプライトがきちんと並んでいるようにしよう。コードタブをクリックして下のコードを作り、頭の最初の位置を決めてしまうよ。

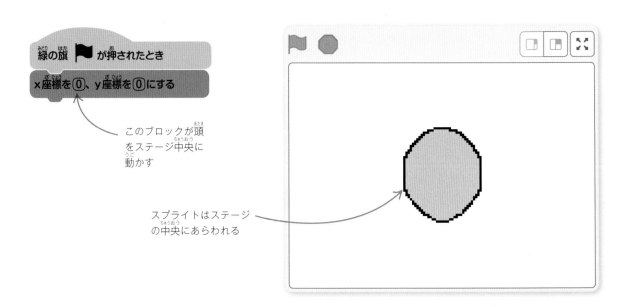

緑の旗 🚩 が押されたとき

x座標を⓪、y座標を⓪にする

このブロックが頭をステージ中央に動かす

スプライトはステージの中央にあらわれる

うまくなるヒント

座標

座標という2つ1組の数で、ステージ上の特定の位置を示せるよ。最初に書く数はx座標といって、ステージの中心から左右にどれくらいはなれているかを示す。2番目の数はy座標といって、ステージの中心から上下にどれくらいはなれているかを示すんだ。スクラッチのステージでは、x座標は-240から240、y座標は-180から180までの間になる。座標は(x, y)というようにかっこでくくって書く。右の図なら、ちょうネクタイの位置は(215, 90)になるね。

座標を使えばステージ上のすべての地点を正確に示せる。スプライトの位置を細かく指定できるね

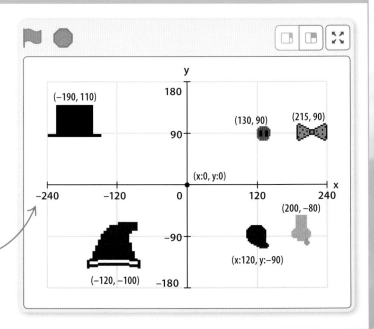

スプライトをもっと増やそう

目、鼻、口、耳、ぼうし、アクセサリーといったスプライトが多いほど、おもしろい変顔になるぞ。使うスプライトの数をどんどん増やして楽しいプロジェクトにしよう。スクラッチのライブラリーには、ぼうしやサングラスなど、このプロジェクトで使えそうなものがあるからさがしてみよう。そのようなスプライトを利用すれば、いちいちかかなくてすむね。

7 ここから11番までは、自分でスプライトをかく場合のヒントだ。スプライトメニューで筆のボタンをクリックして、新しいスプライトを作ろう。ペイントエディターのツールをフル活用して、下のようなパーツをかいていこう。

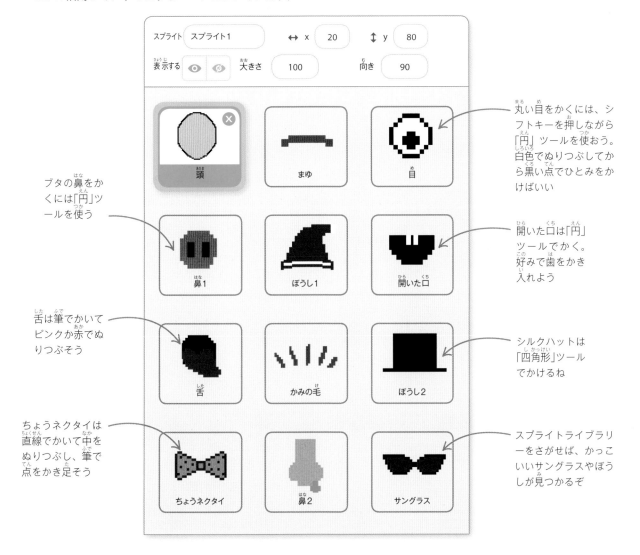

丸い目をかくには、シフトキーを押しながら「円」ツールを使おう。白色でぬりつぶしてから黒い点でひとみをかけばいい

ブタの鼻をかくには「円」ツールを使う

開いた口は「円」ツールでかく。好みで歯をかき入れよう

舌は筆でかいてピンクか赤でぬりつぶそう

シルクハットは「四角形」ツールでかけるね

ちょうネクタイは直線でかいて中をぬりつぶし、筆で点をかき足そう

スプライトライブラリーをさがせば、かっこいいサングラスやぼうしが見つかるぞ

8 スプライトリストに新しいスプライトが表示されるから、わかりやすい名前をつけてあげよう。

スプライトの名前はここに入力する

9 スプライトをかき終わったら、それぞれのパーツの開始位置までドラッグしよう。頭の外に出しておいてね。少しくらいならスプライト同士が重なってもかまわないよ。

10 プロジェクトを実行したときに、パーツが正しい位置に置かれているようにしよう。マウスでそれぞれの位置までドラッグしたら、それぞれのスプライトごとに下のようなコードを作ろう。ブロックパレットの中の「x座標を〜、y座標を〜にする」ブロックのウィンドウには、そのときのスプライトの位置が自動的にセットされているぞ。

緑の旗 🚩 が押されたとき

x座標を 150 、y座標を 100 にする

このブロックを「動き」グループからドラッグする。ウィンドウにはそのときのスプライトの座標がセットされているから、位置を変えたければ数を変えてみよう

11 作りたいスプライトがすべてそろうまで、7番からここまでの作業をくり返そう。

さあ、もう1回！

12 今度は1色でぬりつぶされた背景を作るよ。スプライトリスト右側の背景情報を見てみよう。「背景を選ぶ」ボタンを押すとメニューが表示されるから、ペンのボタンを選んで新しい背景をかく。左下に「ベクターに変換」と表示されているかチェックしてね。「ビットマップに変換」というボタンが表示されていたら、それをクリックすれば「ベクターに変換」に変わるよ。パレット左上の「塗りつぶし」のメニューを開いて色を決める。次にボタンの中の「塗りつぶし」ツールをクリックしてから、ペインティングエリアをクリックしてみよう。

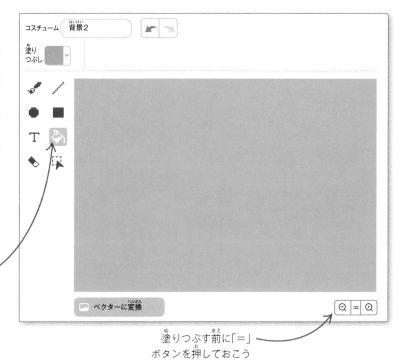

「塗りつぶし」ツール

塗りつぶす前に「＝」
ボタンを押しておこう

クローン

同じデザインのスプライトをいくつも作る必要があるかもしれないね。例えば目が10個あればインパクトが強くなるぞ。スプライトを「クローン」することで、まったく同じ働きをするコピーを作れるんだ。

13 コードに下のループを加えて、一方の目のクローンを10個作ろう。プロジェクトを動かすと、片方の目のオリジナル1つとクローンが10、そしてもう1つの目のオリジナル1つで合計12になるよ！

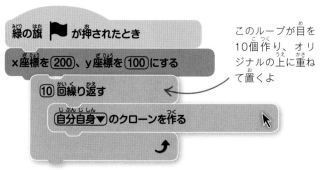

このループが目を10個作り、オリジナルの上に重ねて置くよ

うまくなるヒント

クローン

クローンには「分身のじゅつ」のプロジェクトで使った「スタンプ」ブロックとにたところがある。でも、「スタンプ」では背景にイラストをかき残すだけだったけれど、クローンでは動けるスプライトが作られるんだ。この本のあとの方でクローンをうまく利用するよ。

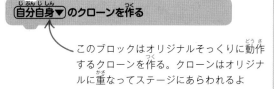

このブロックはオリジナルそっくりに動作するクローンを作る。クローンはオリジナルに重なってステージにあらわれるよ

改造してみよう

「変顔をかこう」は改造のしがいがあるプロジェクトだ。もっとびっくりするようなスプライトを作って、どのように動かすかを考えよう。あと、フレーム（額縁）を作って、変顔をかざれるようにしてみよう。

▼特殊効果

サングラスの向こうに目が見えるようにできるだろうか？ スクラッチの「幽霊の効果」を使って半とう明にすればいい。「見た目」グループから「色の効果を～にする」というブロックを選び、ドロップダウンメニューで「色」を「幽霊」に変えるんだ。

この数を大きくするほど、サングラスの色がうすくなるよ

`幽霊▼ の効果を 30 にする`

▶鼻水をたらす

鼻からやっかいな緑色の鼻水がたれるようにしよう。コスチュームをコピーして2つ増やし、鼻水をかき加える。それから下のようにブロックを加えて、鼻水がたれているように見せるんだ。

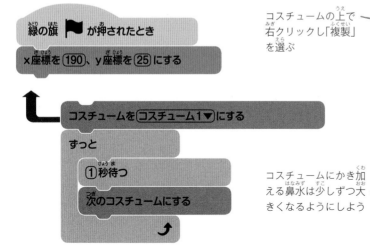

`緑の旗 🏴 が押されたとき`
`x座標を 190、y座標を 25 にする`
`コスチュームを コスチューム1▼ にする`
`ずっと`
`　1秒待つ`
`　次のコスチュームにする`

▼回るちょうネクタイ

スプライトに動きを加えて、変顔を生き生きさせよう。「ずっと」ループで「～度回す」ブロックをくり返し実行し、ちょうネクタイをくるくる回してはどうかな。

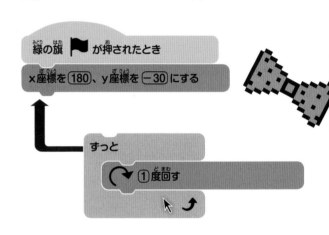

`緑の旗 🏴 が押されたとき`
`x座標を 180、y座標を −30 にする`
`ずっと`
`　↻ 1度回す`

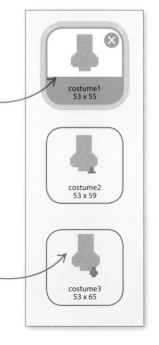

コスチュームの上で右クリックし「複製」を選ぶ

costume1
53 x 55

costume2
53 x 59

コスチュームにかき加える鼻水は少しずつ大きくなるようにしよう

costume3
53 x 65

フレーム（額縁）にかざろう

黒いわくを変顔のまわりに表示するよ。手順は次のとおりだ。

1 スプライトメニューでペンのボタンをクリックし、ペイントエディターで新しいスプライトをかくよ。かき始める前にコードタブを開き、下のコードブロックを作ってね。これはプロジェクトの実行直後にはフレームをかくしておき、スペースキーを押したら表示し、「c」キーを押したらまたかくすためのものだ。

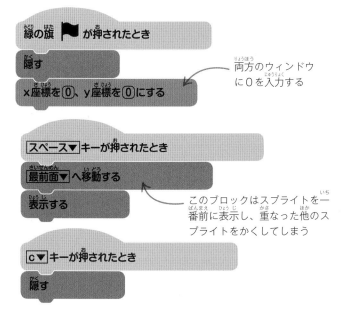

両方のウィンドウに0を入力する

このブロックはスプライトを一番前に表示し、重なった他のスプライトをかくしてしまう

2 まずプロジェクトを実行して、スプライトをステージの真ん中に置く。コスチュームタブを選び、ペイントエディターで作業開始だ。左下に「ベクターに変換」と表示されているかチェックしてから、色を黒に指定して「塗りつぶし」ツールで全体を黒くする。次に「選択」ツールで下のように指定し、キーボードのdelete（削除）キーを押せば切り抜ける。スペースキーで表示して位置を調整する。

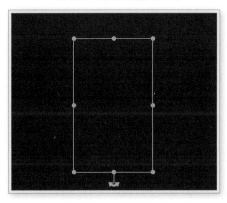

「選択」ツール

「塗りつぶし」ツール

3 それではプロジェクトを動かそう。変顔をかいてからスペースキー（「c」キー）を押せば、フレームがあらわれる（消える）かな？

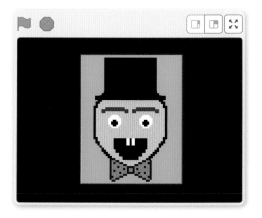

● ● ● ためしてみよう

ちょっと変えてみよう

人間の顔ではなくて、雪男、クリスマスツリー、モンスターやエイリアンの顔にパーツをつけるようにも変えられるぞ。

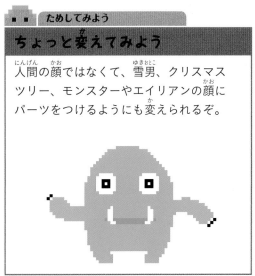

アート

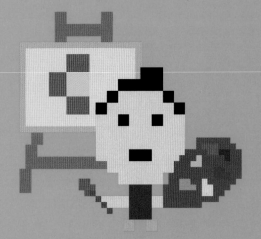

バースデーカード

もらえるものなら、ふつうのバースデーカードよりも見たり聞いたりして楽しめるカードの方がいいよね。スクラッチならバースデーカードを作るのも得意だぞ。サメが歌ってくれるカードを作るけれど、手を加えてオリジナルカードにもできるよ。

風船でいっぱいの背景がふんいきを盛り上げるぞ

しくみ

このプロジェクトを実行すると、ミステリアスな光るボタンがあらわれる。このボタンをクリックすれば動くバースデーカードが表示され、2匹のサメがあらわれて「Happy Birthday（ハッピーバースデー）」の歌を交ごに歌うんだ。

押すのは誕生日のときだけ！

このボタンを押してバースデーカードを開く

誕生日

Happy birthday to you!

サメはステージの上から下りてきて「Happy Birthday」を歌うよ

上にかかげられた幕が
ゆれるよ

このプロジェクトは全
画面で実行しよう

▲すべるように動く

このプロジェクトでは「〜秒で
x座標を〜に、y座標を〜に変
える」というブロックを使って、
スプライトをステージ上でスム
ーズに動かすよ。どこからどこ
まですべるかを座標で正確に指
定しよう。座標について忘れて
しまったなら、「変顔をかこう」
のページを読み返してみてね。

▲時間をはかる

ちょうどよいタイミングでコー
ドブロックを実行するた
め、「動物レース」と同じよう
にメッセージ機能を使うぞ。
「Happy Birthday」を交ごに
歌うため、サメはメッセージを
やりとりしているよ。

ケーキはステージの端から
すべるように出てくるよ

バースデーボタン

カードを開いたときのサプライズが台無しになると困るぞ。プロジェクトの実行直後は、ボタンを押すようにというメッセージと、そのボタンしか表示しないようにしよう。

1 新しいプロジェクトを始めたらネコのスプライトを「削除」する。それからButton1というスプライトをライブラリーから読みこみ、名前をボタン1に変えておこう。

ボタン1

2 ボタン1のために下の2つのコードブロックを作るよ。上はプロジェクト開始時にボタン1をステージ中央に置き、目立つよう光らせるためのもの。下はボタン1がクリックされたら、ボタンを消してメッセージを他のスプライトに送り、カードのいろいろな動きが始まるようにする。「～を送る」ブロックをつなげたらドロップダウンメニューを開き、「新しいメッセージ」を選んで、「スタート！」というメッセージを作ってね。

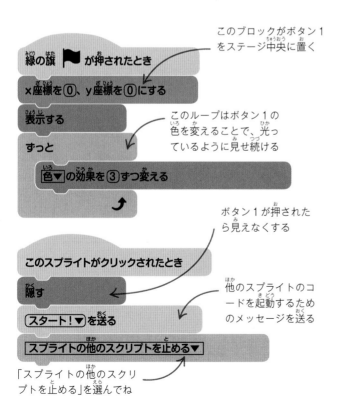

このブロックがボタン1をステージ中央に置く

緑の旗 が押されたとき

x座標を(0)、y座標を(0)にする

表示する

ずっと

色▼の効果を(3)ずつ変える

このループはボタン1の色を変えることで、光っているように見せ続ける

ボタン1が押されたら見えなくする

このスプライトがクリックされたとき

隠す

スタート！▼ を送る

スプライトの他のスクリプトを止める▼

他のスプライトのコードを起動するためのメッセージを送る

「スプライトの他のスクリプトを止める」を選んでね

3 「押すのは誕生日のときだけ！」という注意書きを表示するため、背景に手を加えるよ。まずスプライトリスト右側の小さな白い四角形をクリックして、ステージを選んだ状態にする。それからブロックパレットの上の方にある「背景」タブをクリックだ。

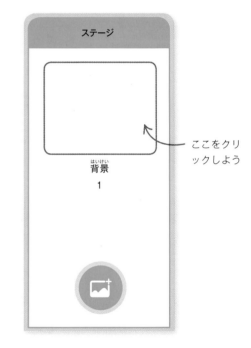

ステージ

背景
1

ここをクリックしよう

サプライズ！

4 スクラッチのペイントエディターを開こう。左下の表示を「ベクターに変換」にしてから、
Tの記号がついている「テキスト」ツールを選び、白いペインティングエリアの上から3分
の1くらいのところでクリックする。「押すのは誕生日のときだけ！」と書きこもう。この
メッセージを書き直したい場合は、「選択」ボタンをクリックしてからメッセージの周囲を
四角で囲み、キーボードでdelete（削除）キーを押して古いメッセージを削除しよう。

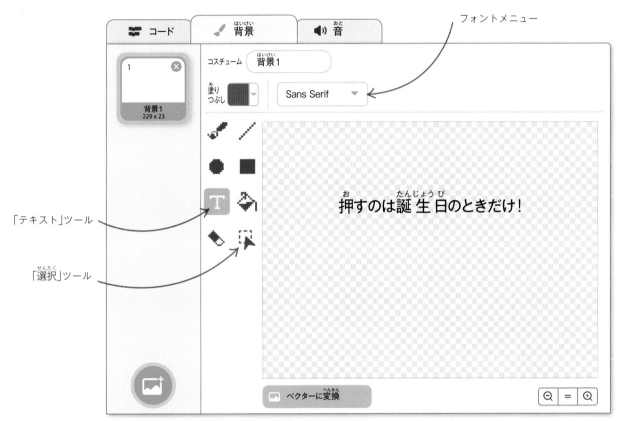

5 ペイントエディターの上の方にあるフォントメニュー
で、テキストで使うフォントを選べるよ。

6 「選択」ツールを使えば、テキストのサ
イズや位置を変えられる。満足するまで
調整しよう。

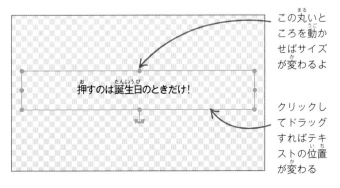

7 カード本体には別の背景が必要になるぞ。スクラッチのウィンドウの右下にある背景のボタンをクリックしてライブラリーを開こう。「Party」という背景があるから、これを読みこむよ。

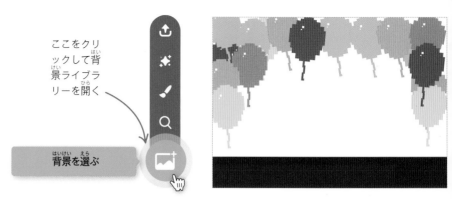

ここをクリックして背景ライブラリーを開く

背景を選ぶ

8 スクラッチのウィンドウ右下のステージが選ばれていて、スプライトが選ばれていないことを確認してね。そうしたらブロックパレットの上のコードタブをクリックし、右のコードブロックをステージのために作ろう。作ったら試しにプロジェクトを実行しよう。ボタンをクリックすると何が起きるかな。

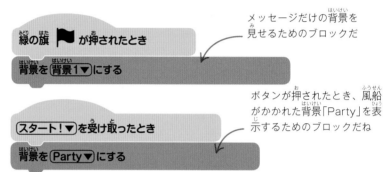

メッセージだけの背景を見せるためのブロックだ

ボタンが押されたとき、風船がかかれた背景「Party」を表示するためのブロックだね

緑の旗 🏳 が押されたとき

背景を 背景1▼ にする

スタート！▼ を受け取ったとき

背景を Party▼ にする

ケーキを用意する

プレイヤーがボタンを押したらカード本体が開くようにするよ。ボタン1のコードは「スタート！」のメッセージをすべてのスプライトに送り、アニメーションと音楽が始まるんだ。

9 誕生日に必要なものは、カードの他に何があるかな？ ケーキだ！ スプライトリストのボタンをクリックして「Cake」というスプライトを読みこもう。名前は「ケーキ」に変えておいてね。

ケーキ

10 ウィンドウの上の方にある音タブをクリックしてみよう。「Birthday」の曲がもう用意されているよ。

コード コスチューム 音

音 Birthday

音 Birthday 7.32

11 最初、ケーキはステージの外に置いておき、左側からすべるように入ってこさせたいね。でもケーキをステージの左端、つまり（−240、−100）という座標に置くと半分見えてしまうぞ。座標を指定すると、スプライトの中心がその座標に置かれるからだ。ただしケーキは大きいので完全に外に出すのは無理だ。座標を（−300、−100）に指定すれば、端が少し見えるだけになるね。

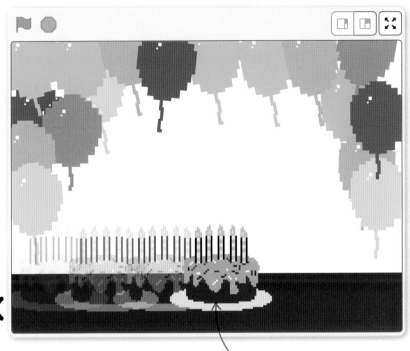

ケーキのスタート位置は（−300、−100）にする

✕

ケーキは(0, −100)の位置まで動いてくる

12 ケーキのためにコードブロックを2つ作ろう。左はプロジェクト開始時にケーキをかくしておくためのもの。右は緑のボタンが押されたときに、ケーキをステージ左側から中央まで動かすためのものだ。ケーキが「1行目」という新しいメッセージを送っていることに注意しよう。このメッセージは、あとでサメの1匹に「Happy Birthday」の1行目を歌わせるときに使うよ。

最初、ケーキはかくされている

ステージ左側の外にケーキを置いている

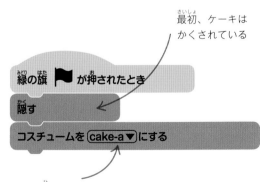

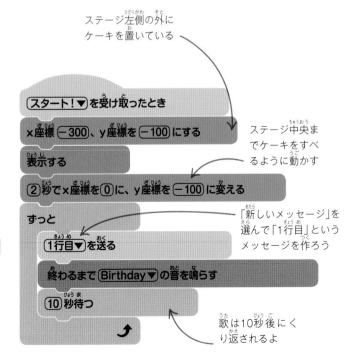

ステージ中央までケーキをすべるように動かす

「新しいメッセージ」を選んで「1行目」というメッセージを作ろう

ロウソクに火がついているコスチュームcake-aを必ず使うため、あえて指定しているよ

歌は10秒後にくり返されるよ

バースデーのバナー（横幕）

誕生日をさらに盛り上げるツールを作ろう。
バースデーのバナーがたなびくぞ。

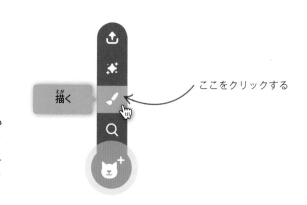

ここをクリックする

描く

13 バナーはスプライトとして作るけれど、ライブラリーから読みこむのではなく自分でかいてしまおう。スプライトメニューのペンのボタンをクリックするとペイントエディターが開く。スプライトリストに新しいスプライトが加わるから、名前を「バナー」に変えておこう。

14 ペイントエディターでバナーをかこう。左下の表示を「ベクターに変換」にしてから「四角形」ツールを使う。中をぬりつぶしてもいいし輪かく線だけでもいい。そして「テキスト」ツールで「誕生日おめでとう！」と書きこむ。フォントと色は自由に組み合わせてみよう。「選択」ツールを使って、テキストの位置やバナーの形を調整してね。

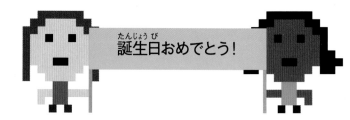

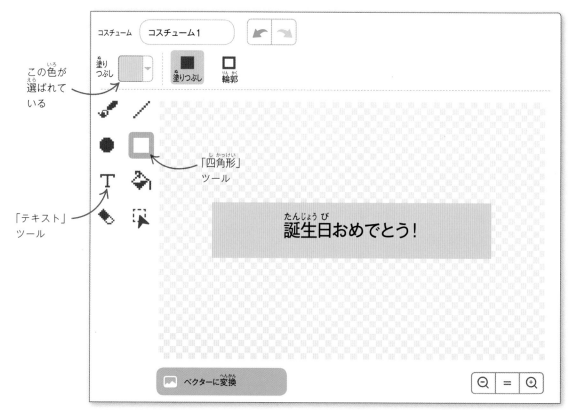

この色が選ばれている

コスチューム　コスチューム1

塗りつぶし　塗りつぶし　輪郭

「四角形」ツール

「テキスト」ツール

誕生日おめでとう！

ベクターに変換

15 それではコードタブを選んで、バナー用にコードブロックを
2つ組もう。ボタン1が押されるまでバナーをかくしておき、
ボタン1が押されたらバナーを表示してたなびかせるための
ものだ。きちんと動くか、プロジェクトを実行してみよう。

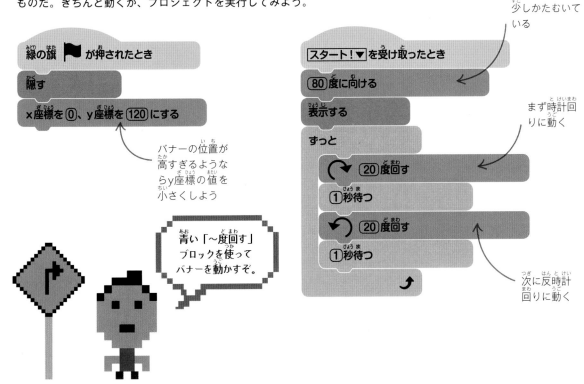

緑の旗 🏴 が押されたとき

隠す

x座標を ⓪ 、y座標を 120 にする

バナーの位置が
高すぎるような
らy座標の値を
小さくしよう

青い「〜度回す」
ブロックを使って
バナーを動かすぞ。

スタート！▼ を受け取ったとき

80 度に向ける

表示する

ずっと
　↻ 20 度回す
　1 秒待つ
　↺ 20 度回す
　1 秒待つ

最初はバナーが
少しかたむいて
いる

まず時計回
りに動く

次に反時計
回りに動く

うまくなるヒント

向き

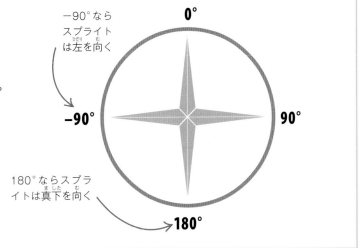

スクラッチでは、スプライトの向
きを「〜°（度）」で表している。
−179°から180°まで指定できる
よ。マイナスの値は左、プラスの
値は右というように覚えておこう。
0°なら真上、180°なら真下だね。

−90°なら
スプライト
は左を向く

0°

−90°

90°

180°

180°ならスプラ
イトは真下を向く

歌うサメ

誕生日のサプライズの仕上げは何にしようか？ もちろん…
歌うサメだ！ 2匹のサメがメッセージを送りあってタイミングをとり、歌詞を1行ずつ交ごに歌うよ。

ここをクリックしてスプライトの名前を変える

16 スプライトリスト右下のスプライトのボタンをクリックし、ライブラリーから「Shark2」を選ぼう。サメは2匹必要だから、今読みこんだサメは「サメ1」（「1」は半角）という名前にするよ。2匹目のサメを作るため、1匹目のサメの上で右クリック（またはCtrlかShiftキーを押しながらクリック）してメニューから「複製」を選ぶ。「サメ1」の「1」が半角なら、新しいスプライトには「サメ2」という名前が自動的につくよ。

ここをクリックすれば
2匹目のサメを作れる

17 サメ1のコードを作るよ。プロジェクトを実行してすぐのときは、サメ1はステージ左上にいるけれど見えなくされている。「スタート！」のメッセージを受け取ったら、すがたをあらわして下におりてくるんだ。

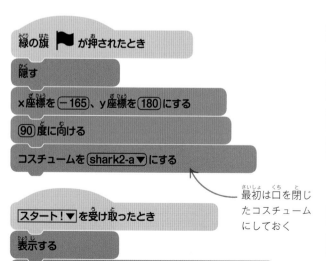

最初は口を閉じたコスチュームにしておく

18 下のコードはサメ2のためのものだ。コードを組んだらプロジェクトを動かしてみよう。

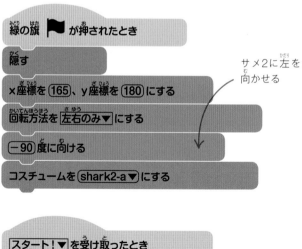

サメ2に左を向かせる

19 では、サメに歌わせてみよう。ところでケーキのコードの中に、Happy Birthdayの曲を流すループがあったのを覚えているかな？ 曲が始まるたびに「1行目」というメッセージを送っていたね。下の図の左側のコードをサメ1のために、右側のコードをサメ2のために追加するよ。これでサメ1は「1行目」のメッセージに反応するようになる。メッセージをあと3つ作って、サメが歌を1行ずつ交ごに歌うようにしよう。4行の歌詞の1行ごとにメッセージが1つで、合計4つ必要なんだね。新しいメッセージは「〜を送る」のドロップダウンメニューから「新しいメッセージ」を選んで作ってね。

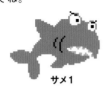

サメ1

サメ2

`1行目▼` を受け取ったとき
コスチュームを `shark2-b▼` にする
`Happy birthday to you!` と ② 秒言う
コスチュームを `shark2-a▼` にする
`2行目▼` を送る

→

`2行目▼` を受け取ったとき
コスチュームを `shark2-b▼` にする
`Happy birthday to you!` と ② 秒言う
コスチュームを `shark2-a▼` にする
`3行目▼` を送る

←

`3行目▼` を受け取ったとき
コスチュームを `shark2-b▼` にする
`Happy birthday dear Joe` と ② 秒言う
コスチュームを `shark2-a▼` にする
`4行目▼` を送る

このブロックに誕生日をむかえた人の名前を入力する

→

`4行目▼` を受け取ったとき
コスチュームを `shark2-b▼` にする
`Happy birthday to you!` と ② 秒言う
コスチュームを `shark2-a▼` にする

わーい、ありがとう！

20 これでバースデーカードは完成だ。ステージ右上の全画面ボタンを押してから、誕生日をむかえた人のためにプロジェクトを実行しよう！

改造してみよう

おくる相手や場面にあわせて、カードをカスタマイズできるよ。サメではなくライオン、ペンギン、ゾウ、ゆうれいが歌ってもいいね。歌を「メリークリスマス」や「ジングルベル」に変えたら、背景を風船ではなく雪景色やクリスマスツリーにすればいい。自由に実験してみるのは大事だぞ！

▼フェードイン

サメはステージの上からおりてきたけれど、スクラッチの特殊効果を使えば、もっとドラマチックな登場のしかたにできるよ。例えば見えなかったスプライトがじょじょに見えてくるようにする（フェードイン）には、下の図のように「幽霊の効果を〜にする」ブロックを使えばいい。

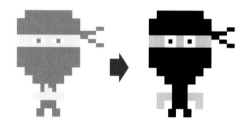

緑の旗 🏁 が押されたとき

隠す

スタート！▼ を受け取ったとき

幽霊▼の効果を 100 にする

表示する

100 回繰り返す

　幽霊▼の効果を −1 ずつ変える

「幽霊の効果を〜ずつ変える」ブロックを「〜回繰り返す」ループの中に入れてフェードインさせる

▼ミクロサイズのスプライト

もう 1 つ、ドラマチックな登場方法をしょうかいしよう。スプライトを最初はとても小さくしておいて、だんだん大きくしていくんだ。「大きさを〜ずつ変える」ブロックを「〜回繰り返す」ループの中に入れればいい。スプライトが大きくなるときに回転させたり、「渦巻き」の効果で変なすがたにさせたりすることもできるね。

緑の旗 🏁 が押されたとき

隠す

スタート！▼ を受け取ったとき

大きさを 10 ％にする

表示する

50 回繰り返す

　大きさを 5 ずつ変える

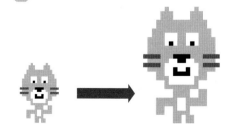

ためしてみよう

上がったり下がったり

　「Happy Birthday」を歌い終わったサメはステージの上の方にもどり、歌うときにまたおりてくるようにできるかな？ 改造にチャレンジするときは、もとのプロジェクトはとっておいて、コピーしたプロジェクトを使うようにしよう。うまくいかなかったらコピーをまた作ればいいね。

▲写真を使う

　もちろん、誕生日をむかえた人の写真を読みこんで使うこともできるよ。スプライトメニューでアップロードのボタンをクリックすれば、好きな写真をアップロードしてスプライトを作れる。でも写真を使うなら、写っている人の許可をもらわずにプロジェクトを共有してはいけないよ。

Happy birthday to you...

このボタンで録音

録音する

音をアップロードする

音のデータをアップロードできる

▲音を加える

　スクラッチに用意されていない効果音や楽曲も使えるよ。みんなで歌う「Happy Birthday」を録音してもいい。音のメニューからアップロードのボタンを選べば、コンピューターの中の音声ファイルをアップロードできる。そしてマイクのボタンをクリックすれば録音もできるぞ（録音用のマイクが必要だよ）。

▲ダンサー登場

　「恐竜のダンスパーティー」からダンサーを呼びよせてみよう。この改造をするなら、コスチュームを変えるタイミングを調整して、音楽に合わせておどるようにしよう。

スパイラル

うず巻き（スパイラル）をえがくプロジェクトだ。ステージに表示されるスライダーを操作して変数の値を調整すれば、うず巻きのパターンを自由に変えられる。パターンはいくらでも作り出せるね！

しくみ

このプロジェクトではスプライトを1つしか使わないぞ。スプライトは、うず巻きの真ん中で止まっている色つきのボール1つだけなんだ。ブロックでボールのクローンをいくつも作り、このクローンが中心から外へとまっすぐ動いている。うず巻きに見えるのは、クローンの向きを少しずつ変えているからだ。庭に水をまくスプリンクラーと同じことだね。スクラッチのペン機能を使えば、クローンが動いたあとに線がかける。色を変えればカラフルなパターンがあらわれるよ。

スライダーでスパイラルの見た目を変えよう

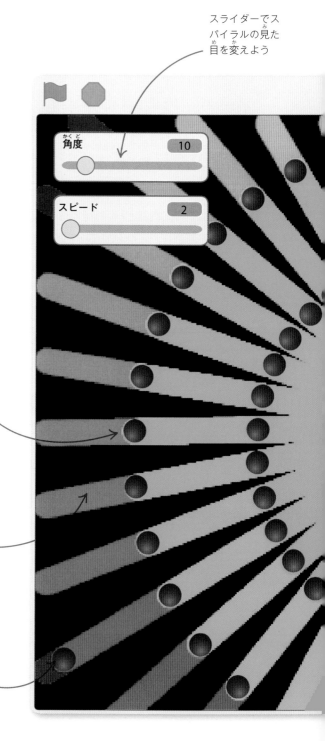

クローンが飛ぶ向きが少しずつちがうのでスパイラルになるんだ

どの線も、スプライトに線をかかせるペン機能でかいているよ

クローンのボールは中心から外に向けて一直線に飛ぶよ

これはすごい！目が回る。

中心のボールだけがオリジナルで、他のボールはすべてクローンだよ

このボタンをクリックすれば全画面表示からもとにもどるよ

▲クローン

クローンはオリジナルのスプライトと同じように動けるんだ。作られたクローンはオリジナルに重なって登場する。向きやサイズなどの特ちょうはオリジナルとまったく同じだよ。

▲スクラッチのペン

どのスプライトも、動いたあとに線を引くことができる。緑色の「ペン」グループから「ペンを下ろす」のブロックを加えればいい。「拡張機能を追加」ボタンを押してペンを選べば、線の色、色合い、太さを変えるブロックも使えるようになるよ。

ボールのクローンを作る

スクラッチでは、オリジナルのスプライトからクローンをいくつも作ってステージ内で動かせる。オリジナルのコードの一部はクローンがそのまま使えるようになるけれど、クローンだけが使うコードも作れるよ。

1 新しいプロジェクトを開始し、スプライトリストでネコのスプライトを「削除」する。それからスプライトライブラリーを開いて「Ball」を選ぼう。名前を「ボール」に変えておくよ。いくつもコスチュームがあるから、コスチュームタブをクリックして一番好きな色のものを選んでね。

ボール

2 下のループでボールのクローンを作るよ。このコードを実行しても何も起きないように見えるけれど、実はボールのクローンがたくさん作られている。クローンはすべてオリジナルのスプライトの上に重なっているんだ。全画面ではないとき（エディターモードのとき）なら、マウスでドラッグしてクローンを動かせるよ。

3 クローンを動かすため、ボールに2つ目のコードブロックを作ってあげよう。新しく作られたクローンは、このコードをコピーしてその命令どおりに動くんだ。クローンが作られたときにオリジナルのボールが向いていた方向へ、クローンを動かし続けるようになっているね。プロジェクトを実行してみよう。

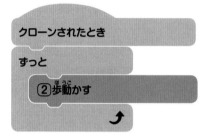
クローンされたとき
ずっと
② 歩動かす

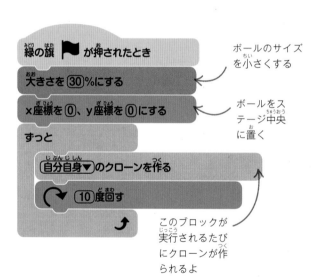

緑の旗 🏴 が押されたとき
大きさを 30 %にする
x座標を 0、y座標を 0 にする
ずっと
　自分自身▼ のクローンを作る
　↻ 10 度回す

ボールのサイズを小さくする

ボールをステージ中央に置く

このブロックが実行されるたびにクローンが作られるよ

▶何が起きているの？

オリジナルのスプライトは向きを少しずつ変えながらクローンを作っている。だからクローンは少しずつちがう方向へつぎつぎと飛んで行くんだね。1個1個のクローンはステージの端までまっすぐに飛ぶ。そして全体としては、広がり続けるうず巻きに見えるんだ。

4 スクラッチでは、ステージ上に一度に置けるクローンは300個までというルールがあるから、プロジェクトを実行してしばらくするとクローンはあらわれなくなる。300個よりも多くクローンを作ろうとしても、その命令は無視されてしまうんだ。ステージの中央ではクローンが作られなくなり、それまでに作られたクローンはステージの端で止まってしまうよ。

ステージ上のクローンが300個になると、それ以上クローンは作られなくなる

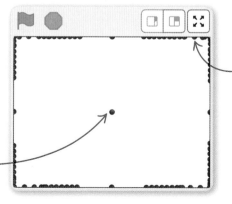

「～歩動かす」のブロックは、スプライトをステージから完全に外に出すことはできない。だからクローンは端に集まってしまうよ

5 クローンが作られなくなる問題と、ステージの端に集まってしまう問題を解決するよ。クローンを動かしているループの中に「もし～なら」ブロックを入れ、端に着いたクローンは消してしまおう。プロジェクトを実行してみると、クローンが作られる速さと消えていく速さがだいたい同じだ。これでスパイラルを止めずにすむね。ステージ上のクローンが300個になることはないからだ。

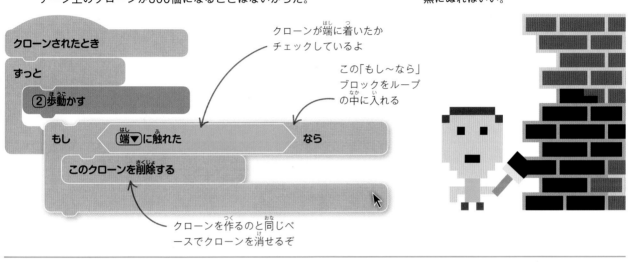

クローンが端に着いたかチェックしているよ

この「もし～なら」ブロックをループの中に入れる

クローンを作るのと同じペースでクローンを消せるぞ

6 スパイラルの見た目をよくするため背景を黒くぬってしまおう。スプライトリストの右側にある背景メニューでペンのボタンをクリックし、新しい背景を作るんだ。「塗りつぶし」ツールで背景を真っ黒にぬればいい。

クローンのコントロール

ボールのコードで使っている2つの数を変えれば、スパイラルのパターンを変えられるよ。まず1つ目の数は、次のクローンを作るまでにオリジナルのボールが回転する角度。2つ目は「～歩動かす」のブロックで使われている数だ。こちらはクローンのスピードを決めている。この2つの数のために変数を作り、スライダーでステージに表示しよう。スライダーを使えば、プロジェクトの実行中に変数の値を変えられるぞ。実験もしやすくなるね。

7 スプライトリストでボールを選び、ブロックパレットの「変数」ボタンを押そう。それから「変数を作る」ボタンを押して変数を2つ作るよ。名前は「角度」と「スピード」だ。

ここをクリックして「新しい変数」のウィンドウを開く

変数の名前を入力する

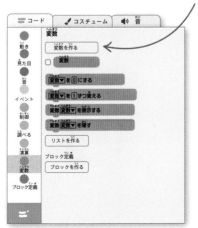

「OK」をクリックする

8 変数のブロックの左にある
チェックボックスは、チェックを入れたままにしておこう。変数の値がステージに表示されるよ。

変数がステージにこのように表示される

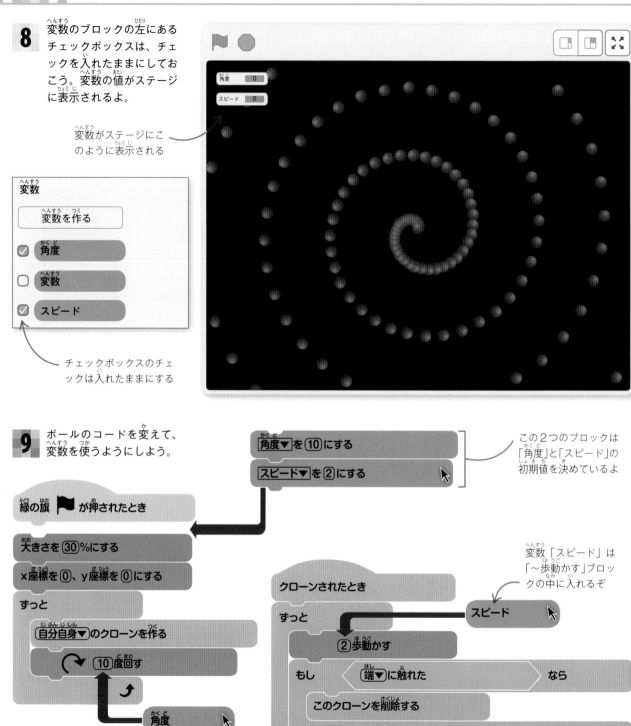

変数
角度 0
スピード 0

変数

変数を作る

☑ 角度

☐ 変数

☑ スピード

チェックボックスのチェックは入れたままにする

9 ボールのコードを変えて、変数を使うようにしよう。

角度▼ を 10 にする

スピード▼ を 2 にする

この2つのブロックは「角度」と「スピード」の初期値を決めているよ

緑の旗 🚩 が押されたとき

大きさを 30 %にする

x座標を 0、y座標を 0 にする

ずっと

自分自身▼ のクローンを作る

↻ 10 度回す

角度

変数「角度」を「～度回す」ブロックの中に入れよう

クローンされたとき

ずっと

スピード

2 歩動かす

変数「スピード」は「～歩動かす」ブロックの中に入れるぞ

もし 端▼ に触れた なら

このクローンを削除する

10 プロジェクトを実行して、スプライトとクローンがこれまでどおりに動くことを確認しよう。それからステージ上の変数「角度」の上で右クリックして「スライダー」を選ぶ。「スピード」も同じようにスライダー表示にしよう。

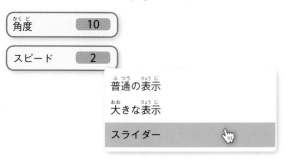

11 どちらの変数もスライダーを使えるようになったね。スライダーを利用すれば、変数の中の値をすぐに変えられる。プロジェクトを動かして、スライダーを試しに使ってみよう。クローンが飛び散るパターンがすぐに変わるはずだよ。

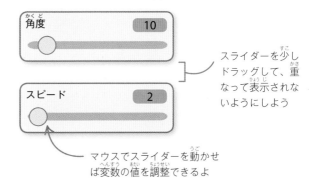

スライダーを少しドラッグして、重なって表示されないようにしよう

マウスでスライダーを動かせば変数の値を調整できるよ

12 変数の値を変えて実験してみよう。

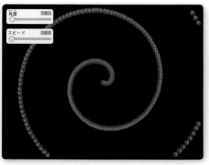

角度＝3、スピード＝1

角度＝3、スピード＝30

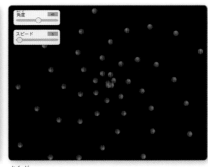

角度＝49、スピード＝5

13 ステージをクリアしてクローンを片づけられると便利だ。右のコードを追加すれば、スペースキーを押してクローンを消してしまえるぞ。クローンはオリジナルのコードのうち、「緑の旗を押したとき」で始まるコードは実行できない。でも他のコードならすべて実行できるんだ。プロジェクトを実行して、スペースキーを押してみよう。

スペースキーを押すとすべてのクローンがこのコードを実行し、自分自身を消してしまう

```
スペース▼ キーが押されたとき
```
```
このクローンを削除する
```

ペンを使いこなそう

ブロックパレットの「拡張機能を追加」を選ぶと、いろいろ便利なツールを使えるようになるよ。魔法のペンもその1つだ。ペンを使えるようにすれば、スプライトが動いたあとに線が引かれるぞ。もちろんクローンもペンを持っているから、みごとなアート作品が作れるよ。

14 画面左下の「拡張機能を追加」を押してから「ペン」を選ぼう。そして下の緑色のブロックをコードに組み入れ、クローンがペンを使えるようにするよ。

緑の旗 🏴 が押されたとき
角度▼ を ⑩ にする
スピード▼ を ② にする
大きさを ㉚ %にする
x座標を ⓪ 、y座標を ⓪ にする

ずっと
　自分自身▼ のクローンを作る
　↻ 角度 度回す

ステージをきれいにするため、ペンでかかれた線をすべて消すよ

🖊 全部消す

ペンを使えるようにして、クローンが動いたあとに線を引けるようにするぞ

🖊 ペンの太さを ① にする

🖊 ペンを下ろす

1を入力してペンを細くしよう

15 プロジェクトを実行して、美しいスパイラルを見てみよう。スライダーで変数の値を変えるとどうなるかな？「角度」を奇数——7や11を試してみよう——にすると、クローンが広がるパターンが少しずつ変わり、ステージのすべての場所にクローンが飛ばされておもしろいもようになるよ。

間を空けずにたくさんの線を引くと、線が不完全になってモアレ（干渉縞）というふしぎなパターンがあらわれるよ

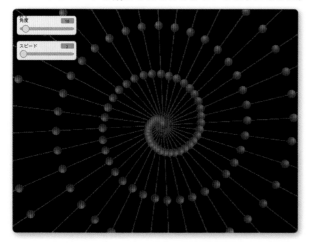

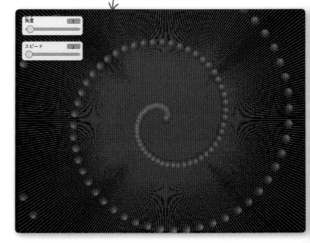

16 クローンを削除するコードに「全部消す」ブロックを入れよう。これで、スペースキーを押すとステージ上の線も消えるようになるぞ。キャンバスをきれいにして次の作品に挑戦だ。

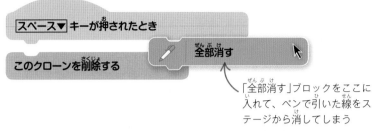

「全部消す」ブロックをここに入れて、ペンで引いた線をステージから消してしまう

17 最後の実験として、ペンの色をクローンごとに変えてみよう。どのクローンも前のクローンとはちがう色を使うようになるよ。

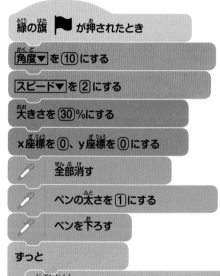

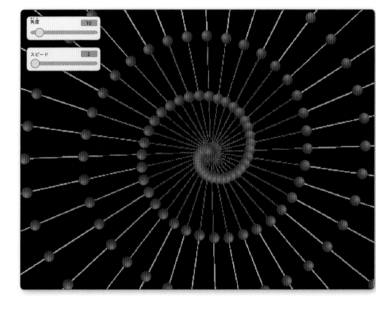

にじのように色を変えよう！

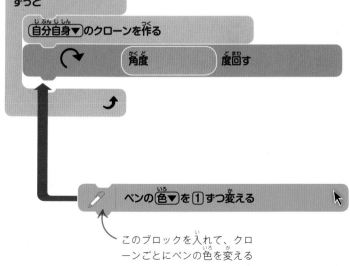

このブロックを入れて、クローンごとにペンの色を変える

18 プロジェクトを実行してスライダーを操作したり、ペンの太さと色を変えたりしてみよう。ペンを太くするとどうなるかな？　スペースキーを押せばステージはきれいになるから、おそれずにいろいろ実験してみよう。

スライダーをいろいろと動かせば、おどろくようなもようになるぞ！

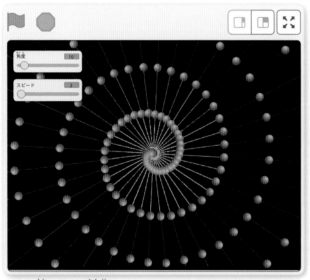

ペンの太さ＝1、角度＝10、スピード＝2

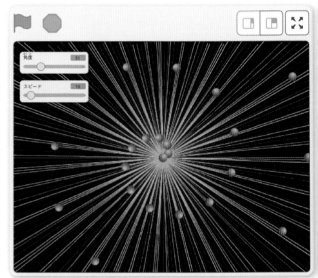

ペンの太さ＝1、角度＝31、スピード＝10

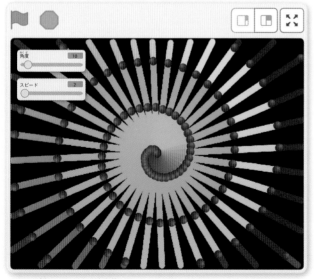

ペンの太さ＝10、角度＝10、スピード＝2

ペンの太さ＝100、角度＝10、スピード＝2

改造してみよう

このプロジェクトは改造に向いているから、ヒントをしょうかいしよう。コードを変えるのをおそれてはいけないぞ。自分のアイデアをどんどん試してみよう。プレイヤーが操作するスプライトがボールをぶつけあう、ドッジボールのようなゲームにしてしまってもいいんだ。

このプロジェクトには**全画面モード**がぴったりだ！

▶色をコントロールする

新しい変数「色の変わり方」を作って、スライダーを表示（10番を見てね）しよう。線の色が変わるスピードを調整できるようにするんだ。「ペンの色を〜ずつ変える」ブロックのウィンドウに、この変数のブロックをセットすればいい。それからスライダーの上で右クリックして「スライダーの指定範囲を変更」を選ぼう。ちなみに「角度」でマイナスの数を指定できるようにすれば、スパイラルの回転を逆向きにできるよ。

色の変わり方	0

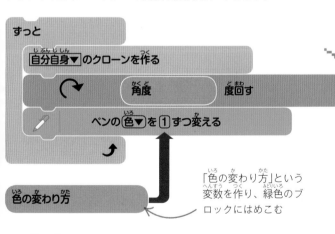

「色の変わり方」という変数を作り、緑色のブロックにはめこむ

▶お気に入り

キーボードのキーに設定をわり当てて、スパイラルの変数をお気に入りのパターンにセットできるようにしよう。キーを押すだけで、お気に入りのびっくりするようなスパイラルを見せられるぞ。

すばらしいスパイラルができたら、スライダーの値をメモしておこう。その値をブロックにセットすればいい

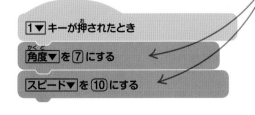

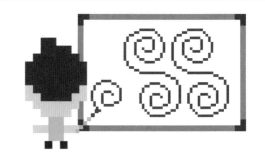

▼作品を残そう！

下向き矢印キーを押せばボールとスライダーをかくせるようにしよう。上向き矢印キーを押せばまた表示されるぞ。ステージ上で右クリックすると、かかれたスパイラルを画像ファイルとしてパソコンに保存できるよ。

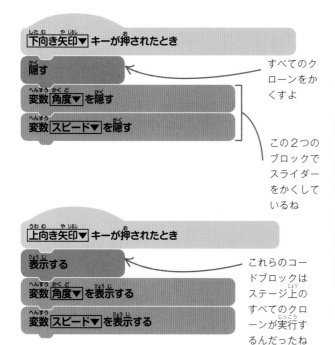

すべてのクローンをかくすよ

この2つのブロックでスライダーをかくしているね

これらのコードブロックはステージ上のすべてのクローンが実行するんだったね

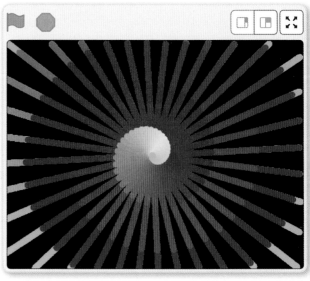

◀ボールをコントロールする

スパイラル（うず巻き）になるように飛ばすのではなく、マウスのポインターがある方向に向けてクローンを飛ばしてみよう。「～度回す」ブロックを「マウスのポインターへ向ける」ブロックに取りかえればいいだけだ。マウスでもようをかいてみよう。

クローンはステージ中央からマウスのポインターへ向けて飛ばされる

▶夕焼け

オリジナルのボールをステージ中央から別の場所にドラッグしよう。それからスペースキーを押して前にかいた線を消してしまう。あとは工夫しだいで、右のような夕焼けの絵がかけるよ。ヒントは、まずペンの太さを1にして、変数「角度」を7にすることだ。忘れてはいけないのは「x座標を0、y座標を0にする」ブロックがコードに入っている点だね。このままではプロジェクトを実行するたびにボールの位置がリセットされてしまう。このブロックを取りのぞくか、ボールをちょうどよい位置に置いたときの座標を入力しておこう。太陽を表すためにボールのスプライトを1つ追加し、サイズは100%のままで色を黄色にしてステージに置くのもいいね。

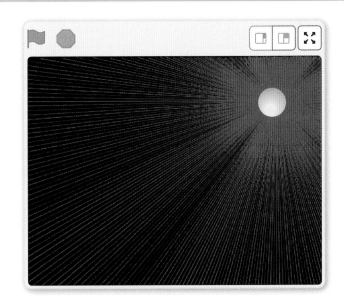

■ ■ ■　ためしてみよう

クローンで実験しよう

実験でクローンの理解を深めよう。新しいプロジェクトを開始して、ネコのスプライトにクローンを作るループを組みこむ。クローンされたときに実行するコードも作っておこう。「ペンを下ろす」ブロックを使う実験や、「x座標を〜、y座標を〜にする」ブロックの値を乱数で決める実験はどうだろう。キーボードでコントロールできるようにしたり、効果音をつけたりしてもいいね。クローンを使わなければ実現できないこともある。使い方をマスターすれば、君のプログラミングの力は大きくのびるぞ。

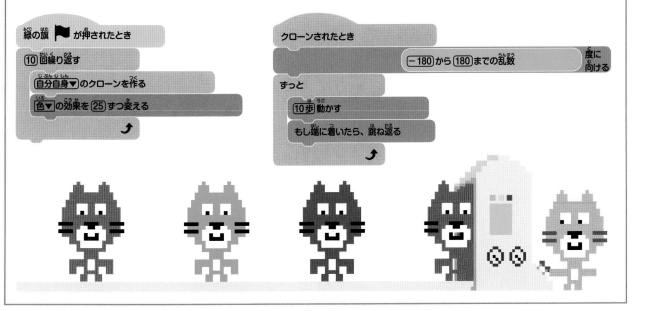

美しい花畑

バーチャルな草原をつくって、カラフルな花でうめつくそう。このプロジェクトでは、スクラッチのブロックを自分で作る方法を覚える。自作したブロックを実行すれば、サブプログラムという特別なコードが起動される。このプロジェクトの場合は花をさかせるよ。

しくみ

プロジェクトを実行すると、マウスでクリックしたところから花がどんどん生えてくるぞ。スクラッチはシンプルなボールのスプライトを使い、「スタンプ」ブロックで花をかく。ボールは花の中心から外へ向けて行ったり来たりしながら、自分のすがたをスタンプして花びらをかくんだ。

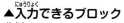

▲サブプログラム

スクラッチでは、別に作っておいたコードを起動するためのブロックを自作できる。同じコードを何度も実行するときは、そのコード全体をくり返し組み入れるのではなく、自作ブロックを1個使えばいい。プログラマーがよく使うテクニックだ。このとき何度も起動されるコードはサブプログラムと呼ばれるよ。

▲入力できるブロック

自作ブロックにウィンドウをつけて、数字などの情報を入力するようにもできる。上はその一例だ。花びらの枚数をセットできるようになっているね。

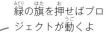

緑の旗を押せばプロジェクトが動くよ

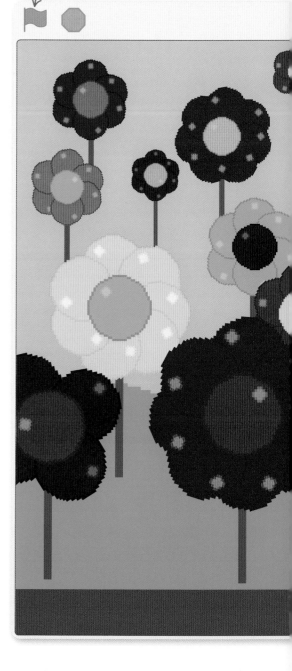

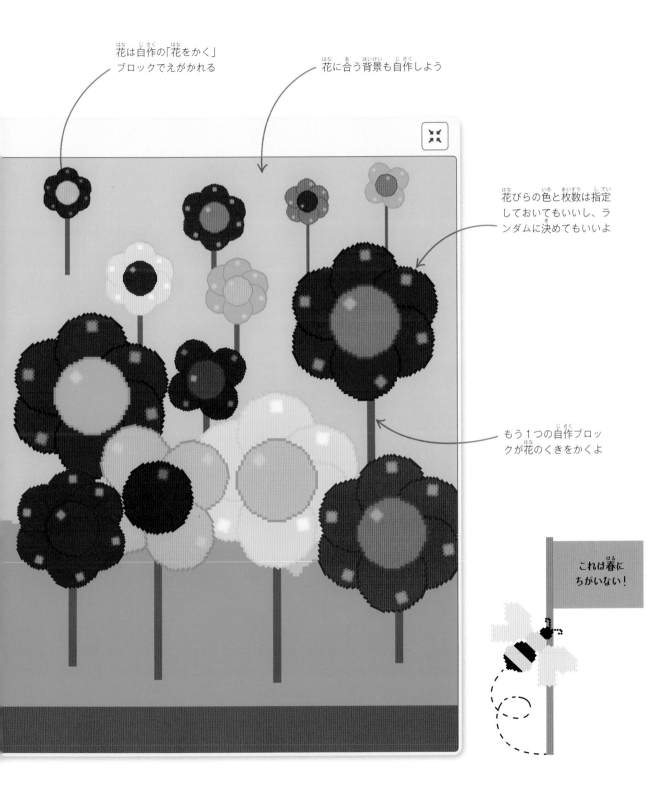

花は自作の「花をかく」
ブロックでえがかれる

花に合う背景も自作しよう

花びらの色と枚数は指定
しておいてもいいし、ラ
ンダムに決めてもいいよ

もう1つの自作ブロッ
クが花のくきをかくよ

これは春に
ちがいない!

花をかく

まず、緑の旗を押すと花をかくコードを作る。番号順に作業していけばいいよ。うまく動くようになったら、このコードをくり返し使うためのブロックを自作しよう。

1 新しいプロジェクトを開始し、ネコのスプライトを「削除」する。それからスプライトライブラリーを開いて「Ball」を選び、名前を「ボール」に変えよう。このボールを使って花をかくよ。

ボール

2 花をかくためのコードを作って動かしてみよう。5枚の花びらを持つシンプルな花だ。ループが5回実行され、ボールのスタート位置を中心にして花びらの曲線がかかれるよ。花びらはボールのスプライトが「スタンプ」したあとなんだ。ペンのブロックを使うには、ブロックパレット左下の「拡張機能を追加」を押して「ペン」を選ぼう。

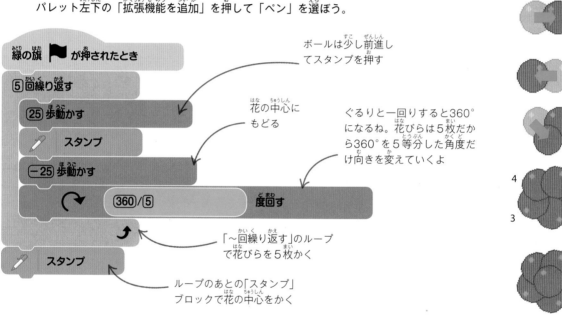

緑の旗 🚩 が押されたとき

5 回繰り返す
　25 歩動かす
　スタンプ
　-25 歩動かす
　360/5 度回す
スタンプ

ボールは少し前進してスタンプを押す

花の中心にもどる

ぐるりと一回りすると360°になるね。花びらは5枚だから360°を5等分した角度だけ向きを変えていくよ

「〜回繰り返す」のループで花びらを5枚かく

ループのあとの「スタンプ」ブロックで花の中心をかく

■■■ うまくなるヒント

計算する

コンピューターは計算が得意だよ。緑色の演算ブロックを使えば、かんたんな計算ができるぞ。もっとふくざつな計算をする場合は、演算ブロックの中に演算ブロックを入れるか、いくつもの演算ブロックを組み合わせればいい。演算ブロックの中に演算ブロックがあるときは、内側のブロックから外側へと計算していくぞ。ちょうど算数の式で（）の中を先に計算するようなものだね。

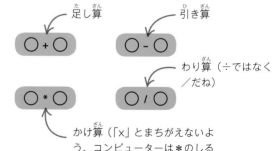

足し算　　　引き算

○ + ○　　　○ - ○

わり算（÷ではなく／だね）

かけ算（「×」とまちがえないよう、コンピューターは＊のしるしを使うことが多いよ）

○ ＊ ○　　　○ ／ ○

ブロックを作ろう

それでは、1つのブロックだけで花をかく
コードをすべて実行できるようにするぞ。
このブロックを使えば、好きな場所に花を
生えさせられるよ。

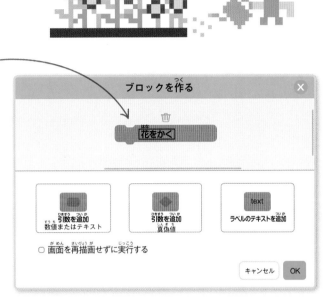

新しいブロックの名前
はここに入力する

3 新しいスクラッチのブロックを作るには、ブロック
パレットで「ブロック定義」を選び「ブロックを作る」
をクリックしよう。ウィンドウが開くから、「花を
かく」という名前を入力してね。

ここをクリック
して新しいブロ
ックを作る

4 「OK」をクリックすると「ブロック定義」に新
しいブロックがあらわれるね。このブロックを使
う前に、ブロックが起動する（プログラマーは
「呼び出す」とも言うよ）コードを作っておこう。

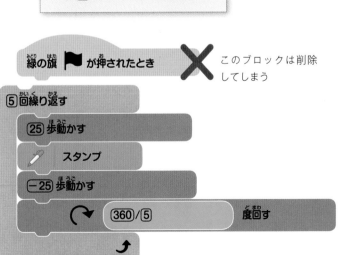

5 コードエリアに「定義 花をかく」という新し
いヘッダーブロックがあらわれたかな。2番
で作った花をかくコードをその下に移そう。
「花をかく」というブロックがどこで実行され
ても、今移したコードが呼び出されるよ。

このブロックは削除
してしまう

右のコードを「定義」ヘッダ
ーの下にドラッグする

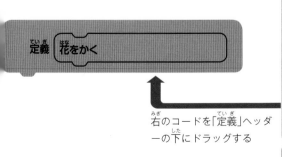

6 次に「花をかく」ブロックを使う新しいコードを組んでいこう。下のコードを実行すれば、マウスでクリックした場所に花をかけるよ。

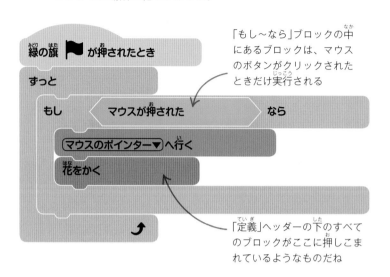

「もし～なら」ブロックの中にあるブロックは、マウスのボタンがクリックされたときだけ実行される

「定義」ヘッダーの下のすべてのブロックがここに押しこまれているようなものだね

7 プロジェクトを実行してステージのあちこちでマウスをクリックし、花をいくつもさかせてみよう。

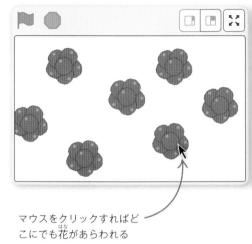

マウスをクリックすればどこにでも花があらわれる

8 ステージがすぐに花でいっぱいになるね。そこで、スペースキーを押したら花を消してしまうコードを作ろう。

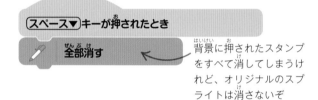

背景に押されたスタンプをすべて消してしまうけれど、オリジナルのスプライトは消さないぞ

▪▪▪ **うまくなるヒント**

サブプログラム

上手なプログラマーは、プログラムをわかりやすい大きさにわけようと努力しているよ。プログラムの他の部分でも使いたい便利なコードができたら、「サブプログラム」にして名前をつけてあげよう。メインのコードからサブプログラムを実行する（呼び出す）と、呼び出したところにサブプログラムのコードが入っているのと同じように動くんだ。またサブプログラムを使えば、プログラム全体の分量が少なくなり、理解しやすく改造しやすくなるぞ。スクラッチでブロックを自作したら、何をするブロックなのかがわかる名前をつけよう。

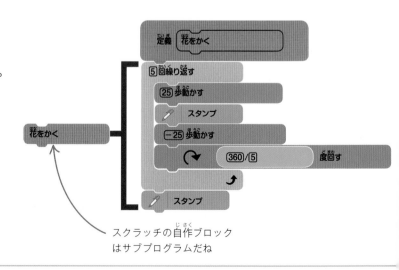

スクラッチの自作ブロックはサブプログラムだね

数で指示する

同じ花をいくつも並べたいなら、花のスプライトを1つ作ってコピーすればいい。でも花の形をいろいろと変えたいなら自作ブロックの出番だ。数を使って花のかき方を指示できるぞ。「花をかく」ブロックにウィンドウを作り、色と花びらの枚数を変えられるようにしよう。

9 花びらの枚数を指定するためのウィンドウを加えよう。「定義」ブロックの上で右クリック（またはCtrlかShiftキーを押しながらクリック）して、メニューから「編集」を選ぶよ。

定義 花をかく

コメントを追加
ブロックを削除
編集

5 回繰り返す
25 歩動かす
スタンプ
-25 歩動かす
360/5 度回す
スタンプ

10 ウィンドウが開くから「引数を追加 数値またはテキスト」を選ぼう。

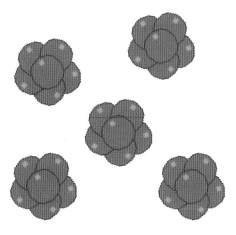

このオプションを選ぶ

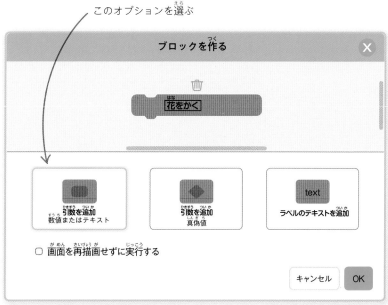

ブロックを作る

花をかく

引数を追加
数値またはテキスト

引数を追加
真偽値

text
ラベルのテキストを追加

☐ 画面を再描画せずに実行する

キャンセル　OK

11 入力用のウィンドウがブロックに作られたよ。「花びらの枚数」と入力して「OK」をクリックだ。

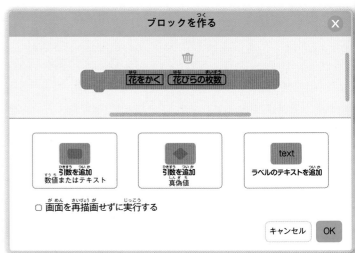

ブロックを作る

花をかく　花びらの枚数

引数を追加
数値またはテキスト

引数を追加
真偽値

text
ラベルのテキストを追加

☐ 画面を再描画せずに実行する

キャンセル　OK

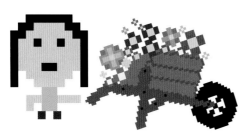

12 ヘッダーブロックの中に「花びらの枚数」というブロックが作られたよ。このブロックをヘッダーブロックの外へドラッグすれば、コピーしてコードの中で使えるんだ。「〜回繰り返す」と「〜度回す」のブロックの「5」の部分に入れてみよう。

ヘッダーブロックの中に新しいブロックが作られたね

「花びらの枚数」ブロックをこの2個所にドラッグして入れてみよう

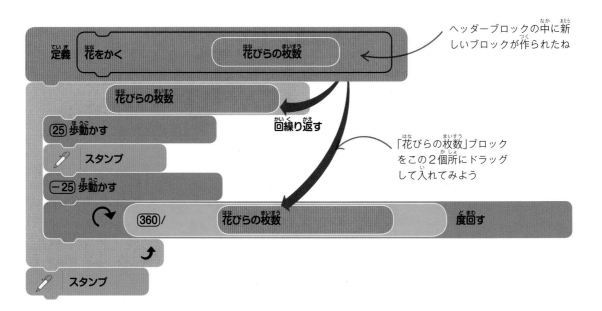

定義　花をかく　花びらの枚数

花びらの枚数
回繰り返す

25 歩動かす

スタンプ

-25 歩動かす

360 / 花びらの枚数　度回す

スタンプ

13 メインのコードで使われている「花をかく」ブロックを見ると、入力用のウィンドウができているぞ。ここに入れた数が、「定義」ブロックの「花びらの枚数」という部分すべてで使われるんだ。それでは7と入力しておこう。

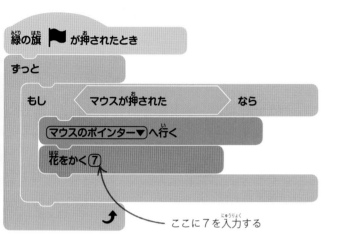

ここに7を入力する

14 さあ、プロジェクトを実行してステージ上でクリックしてみよう。花びらが7枚の花があらわれるはずだね。スペースキーを押せば、ステージをいったんクリアできるぞ。忘れないでね。

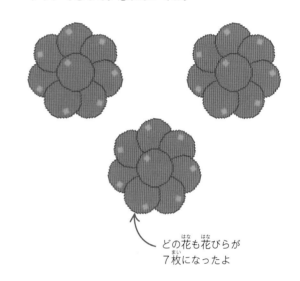

どの花も花びらが7枚になったよ

15 花びらの枚数をバラエティ豊かにしてみよう。数を入力するかわりに、「～から～までの乱数」ブロックを「花をかく」ブロックのウィンドウに入れるんだ。もう一度プロジェクトを実行してみるぞ。

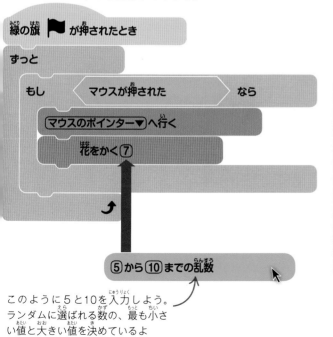

このように5と10を入力しよう。ランダムに選ばれる数の、最も小さい値と大きい値を決めているよ

16 今度は、花びらと花の中心の色を変えられるよう、自作ブロックにウィンドウを追加するよ。もう一度「定義」ブロックの上で右クリックして「編集」を選び、「引数を追加 数値またはテキスト」で「花びらの色」と「中心の色」を加えるぞ。

入力ウィンドウを削除したいときはここをクリックする

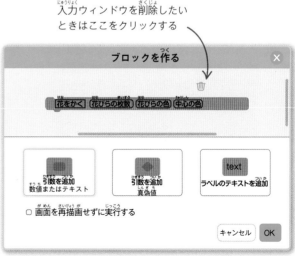

17 花びらと花の中心の色を設定するためのブロックが2つできたよ。ヘッダーブロックからドラッグするときは、ブロックをまちがえないようにしよう。

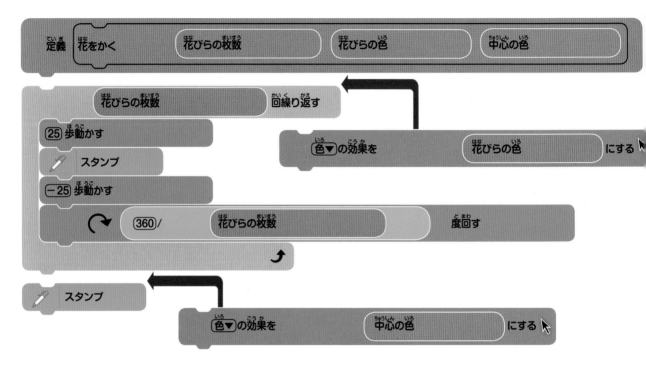

18 メインのコードに「全部消す」ブロックを追加しよう。そして「花をかく」ブロックのウィンドウから「5から10までの乱数」ブロックを取りのぞく。かわりに左から6、70、100と入力するよ。これで花びらが6枚の青い花がさくぞ。プロジェクトを実行して、きちんと動くかチェックだ。

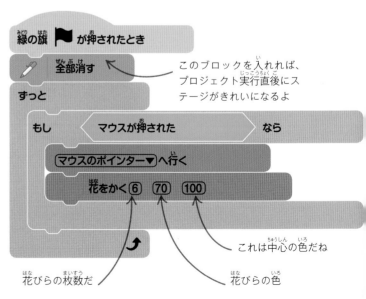

このブロックを入れれば、プロジェクト実行直後にステージがきれいになるよ

これは中心の色だね

花びらの枚数だ

花びらの色

19 「花をかく」ブロックのウィンドウの数を乱数ブロックで決めれば、いろいろな花がかけるぞ。

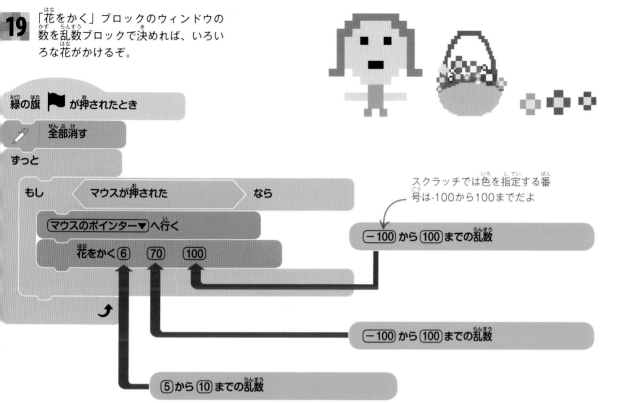

緑の旗 ▶ が押されたとき

🖊 全部消す

ずっと

もし　マウスが押された　なら

マウスのポインター▼ へ行く

花をかく ⑥ ⑦⓪ ①⓪⓪

スクラッチでは色を指定する番号は-100から100までだよ

－100 から 100 までの乱数

－100 から 100 までの乱数

⑤ から ⑩ までの乱数

20 それではプロジェクトを実行して、ステージを花畑にしてみよう。スペースキーを押せば、ステージがクリアされて花が消えるよ。

オフライン版を使っているときは、ときどきセーブするのを忘れないようにしよう。

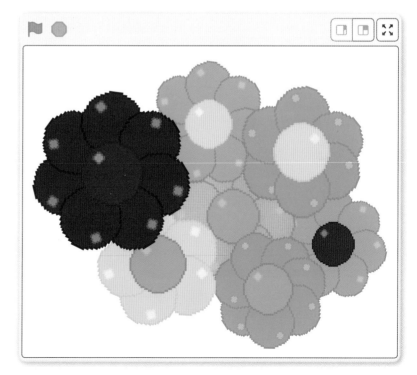

くきを加える

本物の花には「くき」があるね。今度はステージの花にくきをかき加えて、もっとリアルにしていくよ。自作ブロックを使ってコードを読みやすくするから、何をしようとしているかがよくわかるはずだ。

21 ブロックパレットの「ブロック定義」で「ブロックを作る」をクリックする。新しいブロックは「くきをかく」という名前にするぞ。名前を入力したらオプションメニューを開いて「引数を追加 数値またはテキスト」をクリックし、「長さ」と「太さ」の2つのウィンドウをつくろう。それから「OK」をクリックだ。

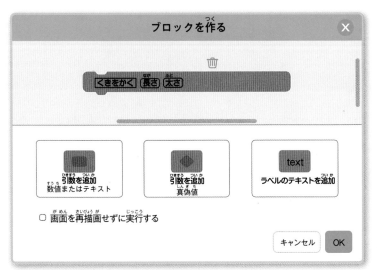

22 「定義」ヘッダーブロックの下にブロックをつなげて下のようにしてね。ヘッダーブロックの中の「長さ」と「太さ」をドラッグして、他のブロックの中に入れよう。

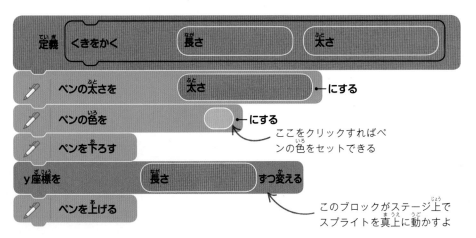

ここをクリックすればペンの色をセットできる

このブロックがステージ上でスプライトを真上に動かすよ

23 メインのコードに新しく作った「くきをかく」ブロックを追加しよう。「くきをかく」ブロックの左側のウィンドウ（長さ）には100、右側（太さ）には5を入力しておこう。

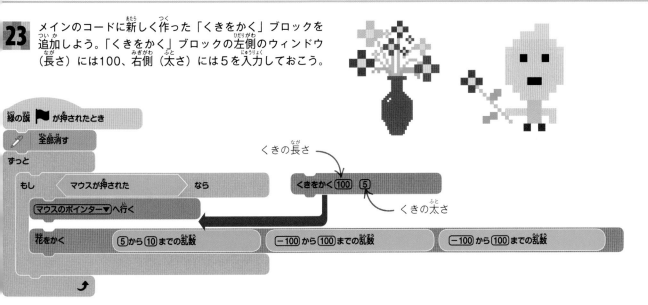

24 それではプロジェクトを実行しよう。花畑をきれいな花でいっぱいにできるかな？「〜から〜までの乱数」ブロックを使って、花の見た目をもっといろいろに変えてみるのもいいね。

25 最後の仕上げとして、花畑にふさわしい背景にするよ。スプライトリストの右側にある背景メニューで筆のボタンをクリックし、自分で背景をかいてみよう。背景のボタンをクリックして、ライブラリーから選ぶこともできるよ。

改造してみよう

コードをいじって花の色、サイズ、形を自由に変えてみよう。花をかくスプライトはボールでなくてもいい。ちがう形のスプライトを使えば、もっとおもしろい花の形になるぞ。ちょっとばかり想像力を働かせて、美しい風景をいくつも作っていこう。

好みで花びらに輪かく線をつけよう

▶花びらを変える

エディターで花びらのコスチュームをかいてみないか？ コスチュームのタブをクリックしてペンのボタンを選び、新しいコスチュームをかこう。だ円形の花びらだときれいだね。「定義 花をかく」のコードにブロックを追加して、花びらをかくときは新しいコスチューム、花の中心をかくときはball-aのコスチュームと使いわけるようにすればいい。

花びら2
72 x 22

▼花がさき乱れる

メインのコードを下のものと変えてみよう。このコードは花の位置をランダムに決めて自動的にかき続ける。最後にはステージが花でうめつくされるよ。ところでx座標とy座標も「花をかく」ブロックで指示するにはどうすればいいかわかるかな？ ヘッダーブロックでxとy座標を入力できるようにして、「x座標を〜、y座標を〜にする」のブロックをヘッダーブロックのすぐ下に加えないといけないね。

ステージの端ぎりぎりには花をかかないように座標を決めているよ

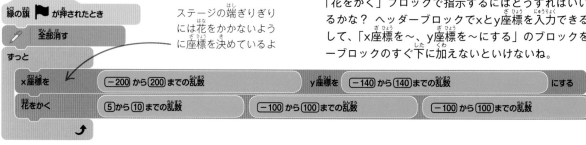

大きな花小さな花

「花をかく」ブロックにもう1つ入力ウィンドウを増やして、花のサイズをコントロールできるようにしよう。ステージの上に行くほど花が小さくなるようにすれば、遠くにある花のように見える。花畑が立体的になるね。

1 「定義」ヘッダーで右クリックして「編集」を選び、「引数を追加 数値またはテキスト」で「花の大きさ」というウィンドウを作ろう。「花をかく」のコード全体は下のように変えてね。「花をかく」で「花の大きさ」が100にセットされると、花はこれまでと同じサイズになる。「花の大きさ」の値を小さくするほど、小さい花がかかれるんだ。

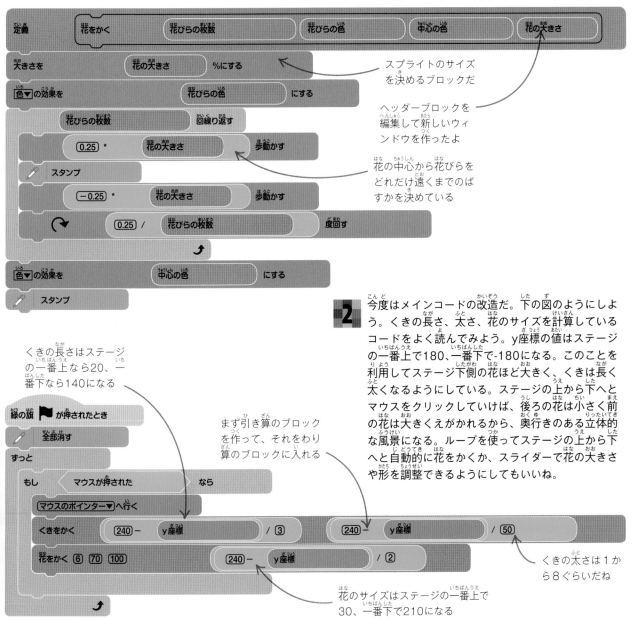

スプライトのサイズを決めるブロックだ

ヘッダーブロックを編集して新しいウィンドウを作ったよ

花の中心から花びらをどれだけ遠くまでのばすかを決めている

くきの長さはステージの一番上なら20、一番下なら140になる

まず引き算のブロックを作って、それをわり算のブロックに入れる

2 今度はメインコードの改造だ。下の図のようにしよう。くきの長さ、太さ、花のサイズを計算しているコードをよく読んでみよう。y座標の値はステージの一番上で180、一番下で-180になる。このことを利用してステージ下側の花ほど大きく、くきは長く太くなるようにしている。ステージの上から下へとマウスをクリックしていけば、後ろの花は小さく前の花は大きくえがかれるから、奥行きのある立体的な風景になる。ループを使ってステージの上から下へと自動的に花をかくか、スライダーで花の大きさや形を調整できるようにしてもいいね。

花のサイズはステージの一番上で30、一番下で210になる

くきの太さは1から8ぐらいだね

ゲーム

運命のトンネル

プロジェクトを改造していろいろ試せるスクラッチは、ゲーム作りにぴったりの言語だね。このゲームでは、しっかりとしたマウス操作と集中力が必要になる。ネコを操作して「運命のトンネル」を通りぬけるんだ。カベにふれたらアウトだよ。うまく通りぬけたら、今度はベストタイムに挑戦だ！

しくみ

マウスを使ってネコを動かし、カベにふれないようにしてトンネルを通りぬけよう。カベにふれるとスタート地点に戻されてしまうぞ。何度でもチャレンジできるけれど、ゴールまで何秒かかったかは記録されているよ。

◀ネコのスプライト

マウスポインターでネコにタッチすると、ネコがポインターをずっと追いかけてくる。マウスのボタンをクリックする必要はないよ。

◀トンネル

くねくね曲がったトンネルは、実はステージいっぱいに広がった大きなスプライトだ。通路はペイントエディターで消した部分だから、スプライトではないよ。だからネコが通路の真ん中にいれば、トンネルのスプライトにふれずにすむんだ。

◀ホーム

ネコがこのホームにタッチすれば、ゲームは無事に終了だ。

ここがネコのスタート地点だ

タイムは秒で
表示されるよ

君はもっと速いタ
イムを出せるかな

わざわざ
「運命のトンネル」に
入るのかい？

| タイム | 201 |
| ベストタイム | 245 |

ホームに着く
とゴールだね

トンネルの形は
好きなようにか
こう

マウスでネコ
を動かすよ

トンネルのカベにふ
れたらスタート地点
に戻されてしまう

ムード作り

ゲームにふさわしい場面を作ることから始めよう。まず曲を選ぶよ。
番号のとおりに進めれば、音ライブラリーから好きな曲を選べるぞ。

1 新しいプロジェクトを始めよう。今回はネコ
のスプライトはそのまま使うよ。だけど名前
はわかりやすく「ネコ」に変えておこう。

新しい名前「ネコ」を
ここに入力しよう

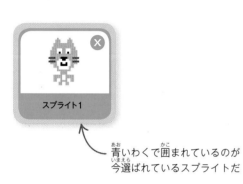

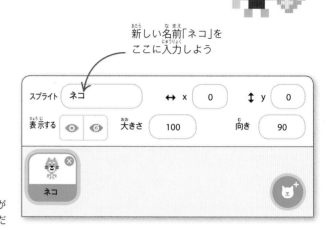

青いわくで囲まれているのが
今選ばれているスプライトだ

2 コードを組む前に、ゲーム
にふさわしい曲を読みこん
でおこう。ブロックパレッ
トの上の音タブを選び、ス
ピーカーのボタンをクリッ
クして音ライブラリーを開
く。「Drive Around」を
選んでみるよ。「再生」ボ
タンを押せば試し聞きがで
きるぞ。

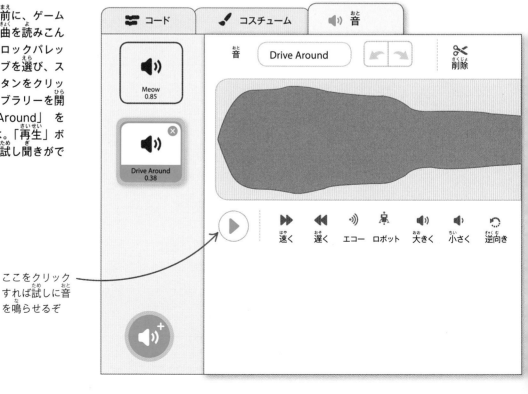

ここをクリック
すれば試しに音
を鳴らせるぞ

3 このコードをネコのスプライトに加えれば、音を鳴らし続けるようになる。使うのは「終わるまで～の音を鳴らす」ブロックで、「～の音を鳴らす」ではないから気をつけよう。まちがえると音をいくつも重ねて鳴らそうとして、うまく動作しなくなるぞ。

4 プロジェクトを実行すると音楽がかかるけど曲が終わらないね。ステージの上の赤いボタンを押してコードを止めよう。

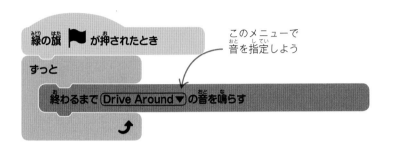

このメニューで音を指定しよう

トンネルをほる

次はくねくね曲がったトンネルをほるぞ。プレイヤーが落ち着いて手を動かさないと通りぬけられないようにしよう。トンネルのかき方がゲームのむずかしさを決めるよ。

5 スプライトメニューのペンのボタンをクリックして、ペイントエディターで新しいスプライトを作ろう。まず左下の表示を「ベクターに変換」にする。好きな色を選んで「塗りつぶし」ツールをクリックし、ペイントエリアのどこかをクリックしよう。選んだ色でぬりつぶされるよ。

コスチューム　コスチューム1

塗りつぶし

ここをクリックして好きな色を選ぼう

「塗りつぶし」ツール

「消しゴム」ツール

この表示になっているということは、今はビットマップモードだ

ベクターに変換

6 それでは「消しゴム」ツールで通路を作っていこう。
通路の幅は、ペインティングエリアの上の「消しゴム」アイコンについている上下ボタンで調整しよう。

「消しゴム」ツール

7 まず「消しゴム」ツールで左上と右上に広めの場所（それぞれスタート地点とゴール地点だよ）を作る。それから、くねくね曲がったトンネルでこの2つを結ぶんだ。うまくいかなくなったら、「取り消し」のボタンをクリックしてやり直せばいいね。

消しゴムのサイズは
最大にしておこう

スタート地点

ゴール地点

トンネルがうまくほれたら、白色ではなく「格子もよう」になるよ

8 中央のエリアはちがう色にしてインパクトを強くしよう。「塗りつぶし」ツールを使えばいいね。トンネルには決して色をぬらないように。そうしないとゲームができなくなってしまうぞ。

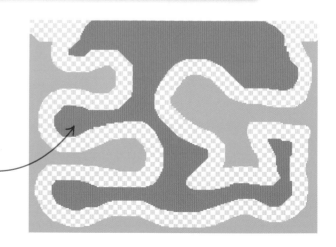

「塗りつぶし」ツールでちがう色を選んでから、このエリアのどこかをクリックしよう

9 スプライトリストで今コスチュームをかいているスプライトを選び、名前をトンネルに変えてしまおう。

トンネル

10 トンネルのスプライトを選択しておいてコードタブをクリックする。スプライトを正しい位置に置いて色を変えるためのコードだ。作ったら試しにプロジェクトを実行してみよう。

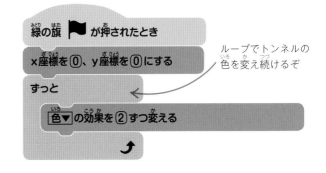

緑の旗 が押されたとき

x座標を 0 、y座標を 0 にする

ずっと

　色▼ の効果を 2 ずつ変える

ループでトンネルの色を変え続けるぞ

マウスでコントロールする

ネコのコードを増やしてゲームをプレイできるようにしよう。コードブロックは少しずつ組んでいくから、きちんと動くかチェックしながら進めてね。

11 ネコのスプライトを選んで下のコードを加えるよ。ネコのサイズを小さくして、トンネルのスタート地点に置くんだ。マウスのポインターがネコにふれてからは、マウスのポインターが動くとおりにネコが進む。ネコを動かすのにクリックする必要はないよ。ネコがトンネルのカベにふれると、「ニャー」という音を鳴らしてコードは止まってしまうぞ。

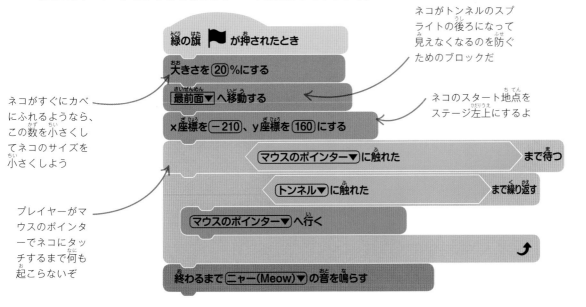

緑の旗 が押されたとき

大きさを 20 %にする

最前面▼ へ移動する

x座標を −210 、y座標を 160 にする

　マウスのポインター▼ に触れた まで待つ

　　トンネル▼ に触れた まで繰り返す

　　マウスのポインター▼ へ行く

終わるまで ニャー(Meow)▼ の音を鳴らす

ネコがすぐにカベにふれるようなら、この数を小さくしてネコのサイズを小さくしよう

プレイヤーがマウスのポインターでネコにタッチするまで何も起こらないぞ

ネコがトンネルのスプライトの後ろになって見えなくなるのを防ぐためのブロックだ

ネコのスタート地点をステージ左上にするよ

うまくなるヒント

「〜まで繰り返す」ループ

「〜まで繰り返す」は、内側に入れたブロックを、最初に書いた「〜」という条件が満たされるまでくり返す便利なループだ。ループからぬけると、下に続くブロックが実行されるよ。このブロックを使えば、右の例のようにコードがわかりやすくなるぞ。

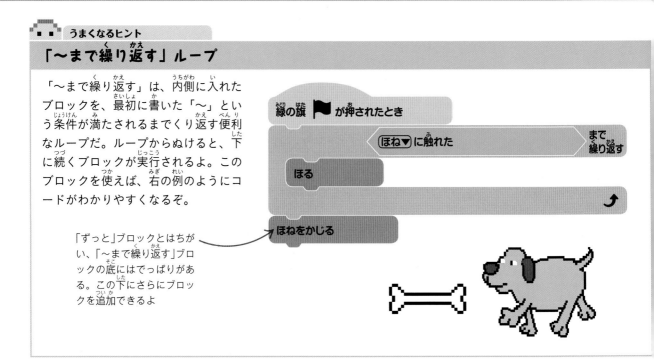

「ずっと」ブロックとはちがい、「〜まで繰り返す」ブロックの底にはでっぱりがある。この下にさらにブロックを追加できるよ

12 ゲームを実行してみるよ。マウスのポインターがネコにふれれば、クリックしなくてもネコをコントロールできるようになるはずだ。ネコをトンネルにそって動かしてみよう。カベにふれると「ニャー」と鳴いて動かなくなるかな？　すぐにカベにふれてしまうようなら、「大きさを〜％にする」ブロックの数を小さくしよう。でもゲームをやさしくしすぎないよう注意してね。

助けて、動けないよ！

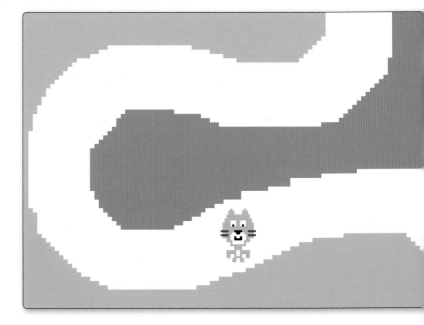

13 カベにふれたらゲームがやり直しになるようにしよう。下のようにループを加えるよ。ネコがカベにふれたら、スタート地点まで戻されて最初からやり直しだ。試しにもう一度プロジェクトを実行してみよう。

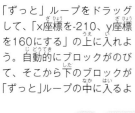

もう一度
チャレンジ！

「ずっと」ループをドラッグして、「x座標を-210、y座標を160にする」の上に入れよう。自動的にブロックがのびて、そこから下のブロックが「ずっと」ループの中に入るよ

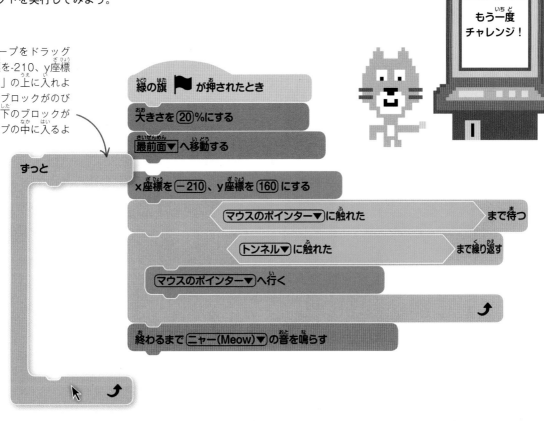

```
緑の旗 🏴 が押されたとき

大きさを 20 %にする

最前面▼ へ移動する

ずっと
    x座標を -210 、y座標を 160 にする

    マウスのポインター▼ に触れた           まで待つ

    トンネル▼ に触れた              まで繰り返す
        マウスのポインター▼ へ行く
                                      ↻

    終わるまで ニャー(Meow)▼ の音を鳴らす
```

14 スプライトリストの右下にあるスプライトのボタンをクリックして、新しいスプライトを加えるよ。「Home Button」というスプライトを読みこんで、名前を「ホーム」に変えよう。ステージに表示されたスプライトは、右上のゴール地点までドラッグしてね。

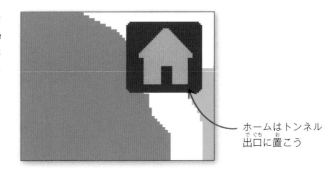

ホームはトンネル
出口に置こう

15 ホームは大きすぎるのではないかな？ 右のコードを作って小さくしておこう。プロジェクトを実行してみて、必要ならホームの位置を調整だ。

```
緑の旗 🏴 が押されたとき

大きさを 50 %にする
```

16 次に必要なのは、ネコがホームにたどり着いたかチェックするコードだね。スプライトリストでネコを選んで右のようにコードを追加しよう。「もし〜なら」ブロックの中のブロックは、ネコがホームにふれたときだけ実行されるよ。

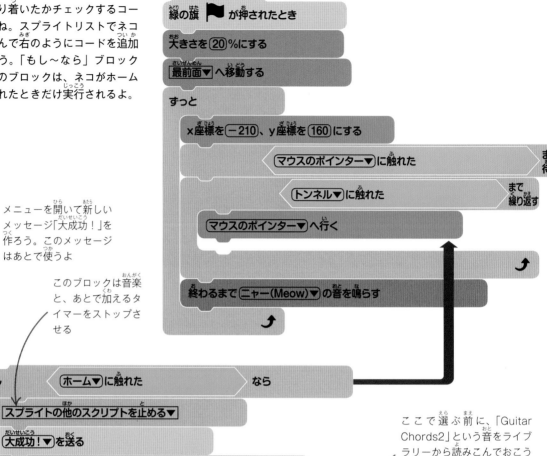

緑の旗 🚩 が押されたとき

大きさを 20 %にする

最前面▼ へ移動する

ずっと

x座標を −210 、y座標を 160 にする

マウスのポインター▼ に触れた まで待つ

トンネル▼ に触れた まで繰り返す

マウスのポインター▼ へ行く

終わるまで ニャー(Meow)▼ の音を鳴らす

もし ホーム▼ に触れた なら

スプライトの他のスクリプトを止める▼

大成功！▼ を送る

終わるまで Guitar Chords2▼ の音を鳴らす

このスクリプトを止める▼

メニューを開いて新しいメッセージ「大成功！」を作ろう。このメッセージはあとで使うよ

このブロックは音楽と、あとで加えるタイマーをストップさせる

ここで選ぶ前に、「Guitar Chords2」という音をライブラリーから読みこんでおこう

このブロックで、ネコがマウスのポインターを追うのをやめさせるよ

17 もう一度ゲームを実行して、トンネルをぬけてホームを目指そう。成功すれば音楽が止まってネコが動かなくなり、お祝いの音が鳴るはずだ。もしトンネルをうまくぬけられないなら、ネコのサイズを小さくする必要があるかもしれないね。ところで、ゲームの終わりの部分がうまく動くかチェックするいい方法がある。ネコをクリックしてホームまでドラッグするんだ。

時間との競争

タイマーを作って、トンネルをぬける時間を記録するようにすれば、このゲームはもっと楽しくなるね。友だちとタイムを競いあおう。

18 ブロックパレットの「変数」を選んで、「タイム」という変数を作ろう。チェックボックスのチェックは入れたままにして、ステージに変数が表示されるようにしておくよ。

ここに変数の名前を入力する

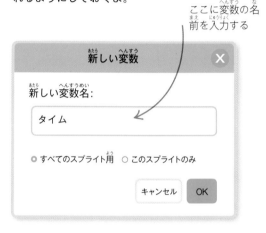

19 ネコのために下のコードを作ろう。ゲームが始まってから何秒たったかをカウントするシンプルなコードだね。プレイヤーが見やすいよう、表示されている変数「タイム」をステージ中央の一番上に移動させてみよう。

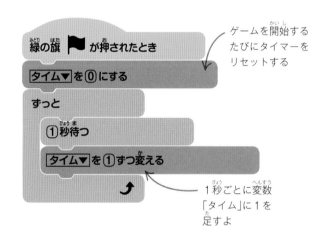

ゲームを開始するたびにタイマーをリセットする

1秒ごとに変数「タイム」に1を足すよ

20 ゲームをプレイしてみよう。ネコがホームに着くとタイマーが止まるね。ゲームが終わったときのタイムが表示されたままになるよ。

なんてすばやく通りぬけるんだ!

21 ゴールしたときに達成感を得られるようにしよう。プレイヤーをお祝いするサインを表示するんだ。スプライトメニューのペンのボタンをクリックして、ペイントエディターで作ってみるよ。色を選んで図形をかき、テキストエディターで文字を入れる。下は1つの例だ。いろいろとアイデアを出してみてね。

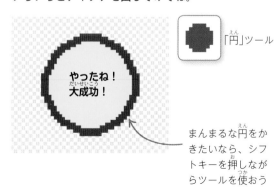

やったね!大成功!

「円」ツール

まんまるな円をかきたいなら、シフトキーを押しながらツールを使おう

22 新しく作ったサインのスプライトに下のコードを作り、ゴールしたときに表示されるようにしよう。最初のコードはプロジェクトの開始時にサインをかくしておくためのもの。2つ目は、「大成功！」のメッセージをネコから受け取ったときに実行するもので、サインを表示してフラッシュさせるよ。

23 これでゲームは完成だ。テストはきっちりとやろう（何度もプレイしてみよう）。それから友だちにプレイしてもらい、タイムを競いあうんだ。

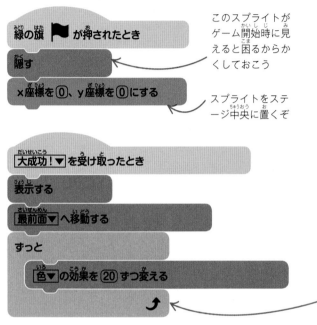

このスプライトがゲーム開始時に見えると困るからかくしておこう

スプライトをステージ中央に置くぞ

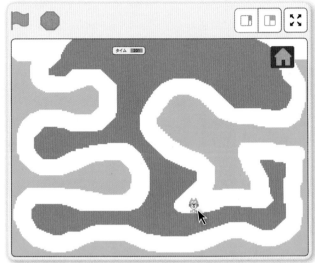

色をすばやく変えればフラッシュしているように見えるよ

改造してみよう

アイデアしだいでいくらでも改造できるゲームだね。まずコピーをして、もとのプロジェクトは保存しておいてから実験開始だ！ 効果音やスプライトを追加してもいい。ゆうれいにおどかされるとスタート地点に戻ってしまうけれど、コウモリに助けてもらうとトンネルの中の一番進んだ位置までジャンプさせてくれるというのはどうかな？

▶もうひとひねり

このゲームはトンネルの幅と曲がり方で、むずかしさが大きくちがってしまう。トンネル内に2つのコースを作り、せまくて短い道か、広くて長い道のどちらかを選べるようにしてもいいね。トンネルのスプライト用にいくつかのコスチュームを用意しておき、ゲーム開始時にランダムに決まるようにもできる。コスチュームを決めるときは右のようなコードを使えばいい。

緑の旗 ▶ が押されたとき

コスチュームを ①から③までの乱数 に

大きい方の数はコスチュームの数に合わせよう

▶ベストタイム

これまでのベストタイムをステージに表示できるぞ。ハイスコアを表示するようなものだね。「ベストタイム」という新しい変数を作り、ステージの「タイム」の下に表示しよう。それからネコに下のコードを作るよ。ネコがホームに着いたときに、ベストタイムかどうかを判定するためのものだ。

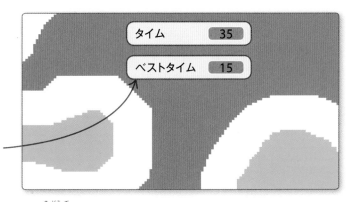

それまでのベストタイムがステージに表示される

プロジェクト起動後に初めてゲームをプレイする時は、このブロックが真(正しい)になる

今出したタイムが前の記録より速ければ真(正しい)になるね

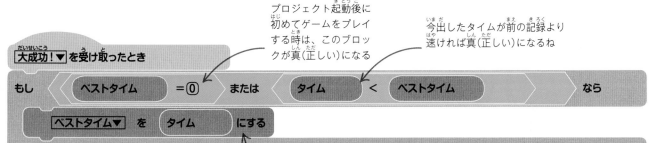

ベストタイムが出たら、このブロックで今のタイムを新しいベストタイムとして記録するよ

▼ベストタイムを出したのは誰?

「ベストプレイヤー」という変数を作ってステージに表示すれば、ベストタイムを出した人の名前を表示できるよ。ベストタイムを記録するコードに、下のようにブロックを2つ追加しよう。

勝ったぞ!
お祝いだ!

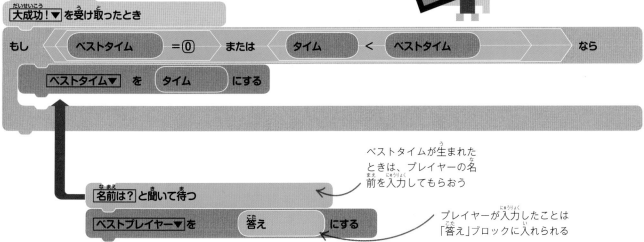

ベストタイムが生まれたときは、プレイヤーの名前を入力してもらおう

プレイヤーが入力したことは「答え」ブロックに入れられる

まどふき競争

君のウィンドウはよごれていないかな？ 思い切ってきれいにしよう！ これから作るゲームは、君のパソコンのウィンドウについたよごれを1分以内にどれだけ落とせるかを競う。いそがしいぞ！ よごれはマウスで落とせるけれど、ウェブカムがあるなら体を動かしても落とせるよ。

しくみ

ゲームはよごれのスプライトからクローンを作り、ステージ上にばらまくところから始まる。クローンのコスチュームはいくつもあり、位置はランダムに決まるよ。ウェブカムを使っているなら、スクラッチはカメラの前で何かが動いたことを知り、「幽霊」の効果でよごれを少しずつ消していく。何度も手をふれば、よごれは消えてしまうよ。このゲームの目的は1分間でできるだけ多くのよごれを落とすことだ。

▼よごれのスプライト

このゲームで使うスプライトは1つだけだけれど、コスチュームは自分でいくつも作っておこう。このスプライトからクローンを作れば、画面をよごれだらけにできるぞ。

どのよごれも1つのスプライトから作られたクローンなんだ

手をふってよごれをこすり落とそう

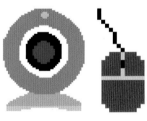

▲コントロール

最初はマウスでウィンドウをきれいにしよう。でもあとでコードを変えて、ウェブカムでとった手の動きを利用するぞ。

さあ、よごれを作ろう！

画面上のよごれは、自分で色をぬって作らないといけない。説明どおりに作っていけば、あっという間に画面はぐちゃぐちゃだ。

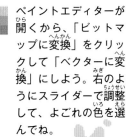

1 新しいプロジェクトを開始したらネコのスプライトを削除するよ。アイコン右上の削除ボタンを押すか、アイコン上で右クリックしてメニューの「削除」を選ぶ。スプライトメニューのペンのボタンをクリックして、新しいスプライトをかくよ。

ここをクリックして新しいスプライトを作る

描く

2 ペイントエディターが開くから、「ビットマップに変換」をクリックして「ベクターに変換」にしよう。右のようにスライダーで調整して、よごれの色を選んでね。

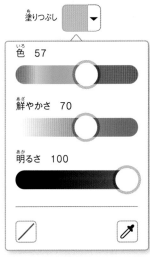

塗りつぶし

色　57
鮮やかさ　70
明るさ　100

3 「筆」ツールを選んで、大きなよごれの輪かく線をかく。あとで小さくすればいいから、ペイントエリア全体を使って大きなよごれをかこう。

「筆」ツール

イェーイ、
ペイントボールより
楽しいぞ！

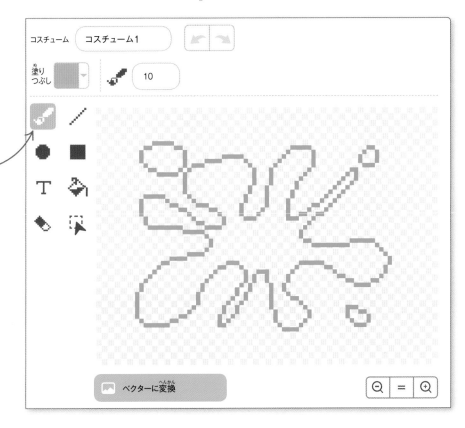

コスチューム　コスチューム1

塗りつぶし　10

ベクターに変換

4 次に「塗りつぶし」ツールを選び、輪かく線の内側をクリックしよう。中がぬりつぶされるよ。

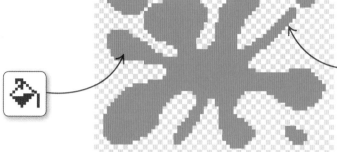

「塗りつぶし」ツール

ぬりつぶしたくないところまで色がつくようなら、「取り消し」をクリックしてから、輪かく線に切れ目がないかチェックしよう。切れ目をつないでからもう一度チャレンジだ

5 もう1つコスチュームを作るよ。左下のコスチュームメニュー（スプライトメニューではないぞ）のペンをクリックしよう。これで何もかかれていない空のコスチュームが増えたはずだ。さっきとはちがう色でよごれをかこう。同じように作業して、コスチュームは最低4つ用意してね。

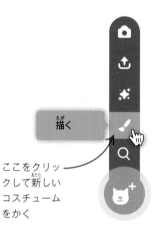

ここをクリックして新しいコスチュームをかく

costume1
401 x 304

costume2
384 x 244

よごれを消す

今度はよごれのスプライト用にコードを組んでゲームで使えるようにしよう。説明どおりに作れば、ステージ上にあらわれたいくつものクローンが、マウスのポインターでふれると消えてしまうようになるぞ。

6 コードタブをクリックして変数を作るよ。ブロックパレットの「変数」を選び、「変数を作る」のボタンを押そう。変数は「よごれの最大数」、「スコア」、「画面上のよごれ」の3つだ。

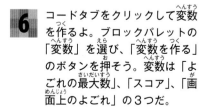

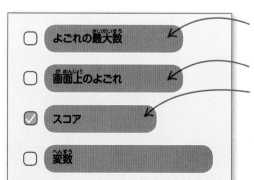

よごれの最大数

画面上のよごれ

☑ スコア

変数

画面に一度にいくつまでのよごれがあらわれるかを設定する変数だ

今、いくつのよごれが画面上にあるかを示す変数だ

スコアのチェックボックスにはチェックを入れたままにして画面に表示しよう。他の変数のチェックは外しておいてね

7 よごれのスプライトのために下のコードを作るぞ。画面に一度にあらわれるよごれの最大数を10にして、「スコア」と「画面上のよごれ」は0にする。これで新しくゲームを始める準備が完了だ。「ずっと」ループで、画面上のよごれの数が最大数よりも小さいかをチェックし、もしそうなら新しいよごれを加える。でもこのままのコードでは何も起こらないので、まだゲームは実行しないでね。

オリジナルのスプライトはかくされたままで、プレイヤーが目にするのはクローンなんだ

```
緑の旗 🚩 が押されたとき

隠す

よごれの最大数▼ を 10 にする

画面上のよごれ▼ を 0 にする

スコア▼ を 0 にする

ずっと
    もし 画面上のよごれ < よごれの最大数 なら
        大きさを 10 から 25 までの乱数 %にする
        コスチュームを 1 から 4 までの乱数 にする
        x座標を −200 から 200 までの乱数 、y座標を −150 から 150 までの乱数 にする
        自分自身▼ のクローンを作る
```

この数は作ったコスチュームの数と同じにしよう

よごれの位置はランダムに決まるぞ

新しいよごれ（クローン）を作り出すよ

8 コードをスプライトに追加しよう。クローンはそれぞれこのコードを実行するよ。クローンを見えるようにしてから、マウスのポインターがふれるまで待つんだ。ポインターがふれたら「ポップ（Pop）」音とともに消え去り、スコアに1ポイントが追加されるよ。

クローンが作られるごとに「画面上のよごれ」を1増やして数を合わせている

```
クローンされたとき

画面上のよごれ▼ を 1 ずつ変える

表示する

マウスのポインター▼ に触れた まで待つ

スコア▼ を 1 ずつ変える

画面上のよごれ▼ を −1 ずつ変える

ポップ（Pop）▼ の音を鳴らす

このクローンを削除する
```

作られたときにはクローンはプレイヤーから見えなくされている。このブロックで見えるようにしよう

プレイヤーのマウスポインターがふれるまで何も起きないぞ

9 ゲームをテストプレイしてみよう。10個所によごれがあらわれるはずだ。マウスのポインターでふれるとよごれは消えるけれど、新しいよごれがあらわれるね。ここまではいいけれど問題がある…このままだといつまでたってもゲームが終わらないぞ！

よごれを消してしまおう！

カウントダウン

タイムリミットで時間が制限されることほど、プレイヤーにプレッシャーをかけるものはないよ。今度のコードはプレイヤーの持ち時間を1分間にしてしまう。1分の間にできるだけよごれを消さないといけないぞ。

10 新しい変数を作り「カウントダウン」と名前をつけよう。プレイヤーに残り時間を知らせるためのものだ。チェックボックスのチェックはつけたままにして、画面に表示しておこう。

✓ カウントダウン

11 右のコードを作ってカウントダウンを開始しよう。1分間がすぎると他のコードを止めてしまい、それ以上よごれが増えないようにするよ。それからメッセージを送るけれど、このメッセージはあとで使うぞ。

持ち時間(秒)をここにセットする

緑の旗 🚩 が押されたとき

カウントダウン▼ を 60 にする

カウントダウン < 1 まで繰り返す

1秒待つ

1秒ずつカウントするぞ

カウントダウン▼ を -1 ずつ変える

新しいよごれがあらわれるのを防ぐよ

スプライトの他のスクリプトを止める▼

終了！▼ を送る

メニューで「新しいメッセージ」を選び「終了！」というメッセージを作ろう

12 では、ゲームをプレイしてみるよ。タイマーが0になったらゲームが終わるはずだね。おや、ちょっとした問題があるぞ。タイマーが0になったのに、残っているよごれを消すとポイントが入ってしまう。右の小さなコードで解決しよう。残っているよごれを全部消してしまうんだ。もう一度テストプレイしてみよう。

終了！▼ を受け取ったとき

このクローンを削除する

どのクローンもこのコードを実行するから、クローンはすべて削除されてしまうよ

ウェブカムを使う

ウェブカムを使って、もっとリアルにウィンドウをそうじしよう。13番から16番のステップにはウェブカムが必要だ。ウェブカムを使ってゲームをプレイするときは、コンピューターの画面からはなれて、スクラッチのステージにプレイヤーのほぼ全身がうつるようにしよう。

13 「むずかしさ」という新しい変数を作ろう。この変数には0から100までの数をセットできる。数が大きいほどゲームがむずかしくなるぞ。チェックボックスのチェックは外して、ステージに変数が表示されないようにしよう。

☐ むずかしさ

14 ウェブカムを使うにはビデオモーションの拡張機能を加えないといけない。左下の「拡張機能を追加」ボタンを押してから「ビデオモーションセンサー」を選べば、ボタンが追加されてブロックが増えるよ。右のコードを作って「むずかしさ」を決め、ウェブカムを使えるようにしよう。スタート時の「むずかしさ」は40にする。部屋の明るさやプレイヤーの後ろに何がうつるかで、ゲームがむずかしくなりすぎたり、反対にやさしくなりすぎたりする。そのときはこの「むずかしさ」の値を調整しよう。まだゲームは実行しないでね。

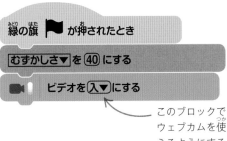

このブロックでウェブカムを使えるようにする

15 マウスではなくウェブカムを使ってよごれを消そう。「クローンされたとき」のヘッダーブロックで始まるコードを右のように変えるよ。

ウェブカムでプレイヤーが体を動かしたと5回判定されないとよごれ（クローン）は消えないよ。判定されるたびによごれはじょじょに消えていくぞ

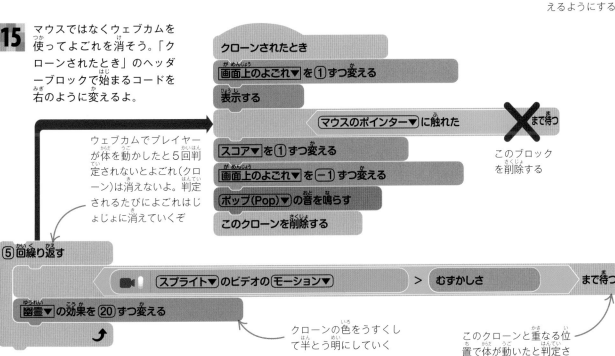

このブロックを削除する

クローンの色をうすくして半とう明にしていく

このクローンと重なる位置で体が動いたと判定されるまで待っているよ

▲しくみ

以前のコードではマウスのポインターがよごれにふれるまで待ってから、クローンを消していたね。新しいコードは、クローンにふれる位置での動きをウェブカムがうつすまで待っている。でも今度は1回では消えず、5回体を動かさないといけない。クローンにふれたと判定されると「幽霊」の効果を大きくする。だから、よごれをふくたびにだんだん色がうすくなってとう明になり、やがて消えるんだね。

16 ゲームを動かしてみよう。スクラッチがウェブカムを使ってよいか、ポップアップウィンドウで聞いてくるので「許可」をクリックしよう。するとよごれの向こう側にプレイヤーのすがたがうつるはずだ。手でよごれの1つをふいてみよう。もしなかなか消えないようなら、「むずかしさを〜にする」ブロックに入れる数を小さくしてから、もう一度ゲームを動かしてみてね。

ここをクリックして全画面表示にしてみよう

このゲームは
全画面の方が
プレイしやすいや。

改造してみよう

このゲームをいじるときのヒントを書いておくよ。でも、自分のアイデアがあるならどんどん試してみよう。ウェブカムの使い方がわかったら、プレイヤーを飛びはねさせるゲームも作れる。大切なのは楽しむことだ。

変数「ハイスコア」は、それまでのハイスコアよりも高いスコアが出たときだけ書き変えられる

◀ **ハイスコア**

ハイスコアを記録する機能を加えるのはかんたんだよ。新しい変数「ハイスコア」を作って、左のコードを加えればいい。トッププレイヤーの名前も表示できる。「運命のトンネル」を読み返してみよう。

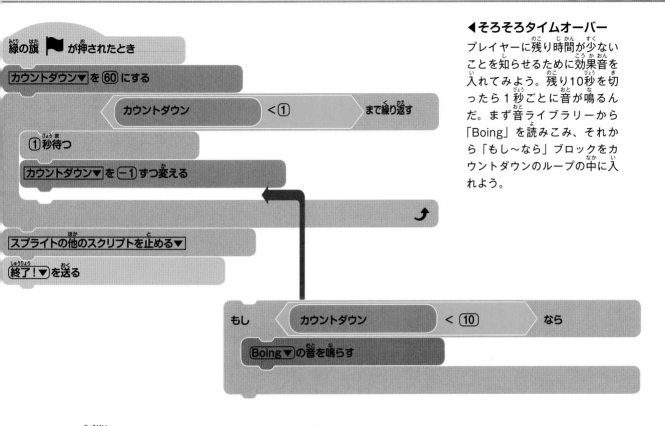

◀そろそろタイムオーバー

プレイヤーに残り時間が少ないことを知らせるために効果音を入れてみよう。残り10秒を切ったら1秒ごとに音が鳴るんだ。まず音ライブラリーから「Boing」を読みこみ、それから「もし〜なら」ブロックをカウントダウンのループの中に入れよう。

▼むずかしさを調整する

「むずかしさ」をこまめに調整しているなら、画面にスライダーで表示してしまおう。まず変数の前のチェックボックスにチェックを入れて画面表示する。そして画面の変数の上で右クリック(CtrlかShiftを押しながらクリック)して「スライダー」を選べばいい。

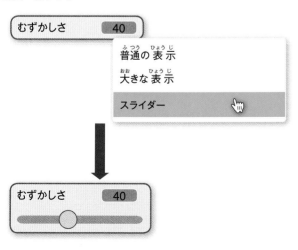

■■■ ためしてみよう

複数人で遊べるようにする

君のプログラミングスキルを試すのにもってこいのチャレンジだ。マルチプレイヤーゲームにして、プレイヤーごとにちがう色のよごれを落とすようにしよう。「まどふき競争」のプロジェクトを保存して、コピーを作って改造するぞ。プレイヤーごとにスコアの変数が必要だし、「もし〜なら」ブロックをクローンのコードに加えて、消されたクローンのコスチューム(色)ごとにちがうスコアにポイントを加えなければならないね。

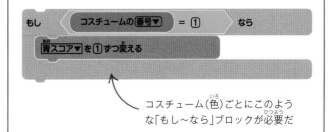

コスチューム(色)ごとにこのような「もし〜なら」ブロックが必要だ

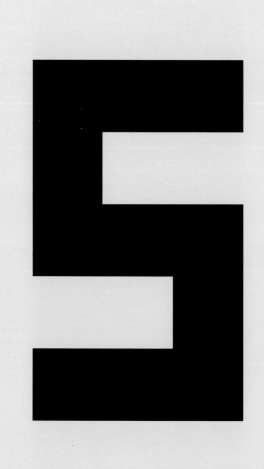

シミュレーション

バーチャル雪景色

雪が見たくても、パソコンの中に雪が入ったら中がぬれて故障してしまうよ。それならスクラッチで、ぜっ対に安全なバーチャル雪景色を作ろう。雪はステージの上からふってくる。そして本物の雪と同じように地面やものの上に積もるんだ！

しくみ

一つ一つの雪はクローンとして作られ、ステージの上から下へと動く。本物のように左右にゆれながら動くよ。雪が地面か他のものにたどり着くと、そこに自分のスタンプを残していくんだ。

雪はシンプルな円のスプライトから作られたクローンだよ

雪は上から落ちてきて地面で止まる

雪はスプライトの上にも積もるよ

▲雪だるま

このプロジェクトでは、好きなスプライトを読みこんでおいて、その上に雪を積もらせることができる。雪だるまのスプライトならちょうどいいね。

▲とうめい人間？

見えないようにしたスプライトに雪が積もるとすがたがあらわれるぞ。スプライトはライブラリーで見つけるか自作しよう。大きな文字で書いた君の名前をスプライトにするのもいいね。

雪をふらせよう

雪のコスチューム作りから始めよう。シンプルな白い円を
かけばいい。それからクローンを作って雪にする。小さな
クローンがステージの上から下へと動くようにするぞ。

1 新しいプロジェクトを開始した
らネコのスプライトを削除しよ
う。それからスプライトメニュ
ーの筆のボタンをクリックして
ペイントエディターを開く。新
しいスプライトのコスチューム
をかき始める前に、スプライト
の名前を「雪」に変えておこう。

ここに「雪」と
入力する

| スプライト | 雪 | ↔ x | -31 | ↕ y | -34 |
| 表示する | 👁 ⦸ | 大きさ | 100 | 向き | 90 |

情報パネル

雪

2 ペイントエディターを開い
たら「円」ツールを選び、
ペインティングエリア中央
に小さな白い円をかこう。
Shiftキーを押したまま円
をかけば、まんまるの円が
かけるよ。

こちらの「塗りつぶし」
を選ぼう

「円」ツール

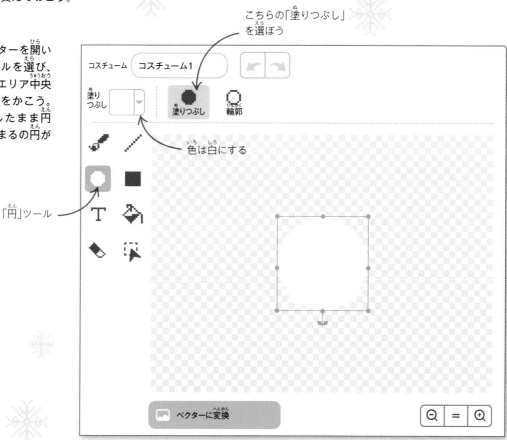

コスチューム　コスチューム1

塗り
つぶし

塗りつぶし　輪郭

色は白にする

ベクターに変換

⊖ = ⊕

3 円をちょうどよいサイズにするため、青いわくの角の1つをドラッグして大きさを調整しよう。サイズは50×50を目指そう。もし青いわくが消えてしまったら、「選択」ツールで円を囲むように指定すればわくが表示されるよ。

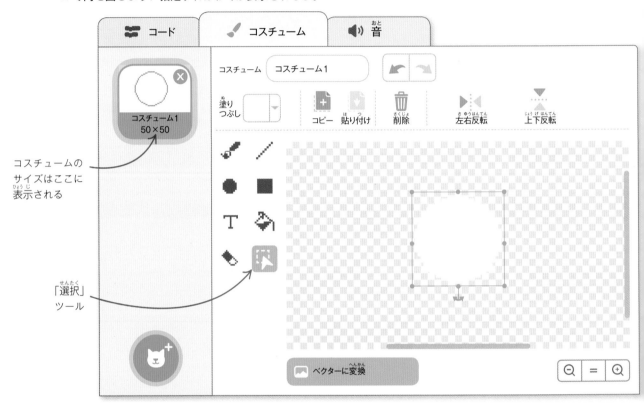

コスチュームのサイズはここに表示される

「選択」ツール

4 ふってくる雪をながめやすい背景にしよう。背景メニューで筆のボタンをクリックし、ペイントエディターで新しい背景をかくよ。

ここをクリックして新しい背景をかく

描く

5 色を2つ指定しておき、じょじょに色が変わるグラデーションの効果を使ってみよう。左下の表示を「ビットマップに変換」にしてから「塗りつぶし」ツールを選び、次に左上のメニューで色を指定する。グラデーションのオプションは右の図のように選ぼう。1番目の色（左側）は濃い青、2番目の色（右側）は1番目よりも明るい青にしてね。

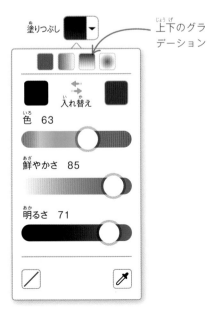

上下のグラデーション

塗りつぶし

入れ替え

色　63

鮮やかさ　85

明るさ　71

6 「塗りつぶし」ツールを選んだままペインティングエリアをクリックすれば色がつく。色は自由に変えられるけれど、雪が目立つよう濃い色の方がいいね。

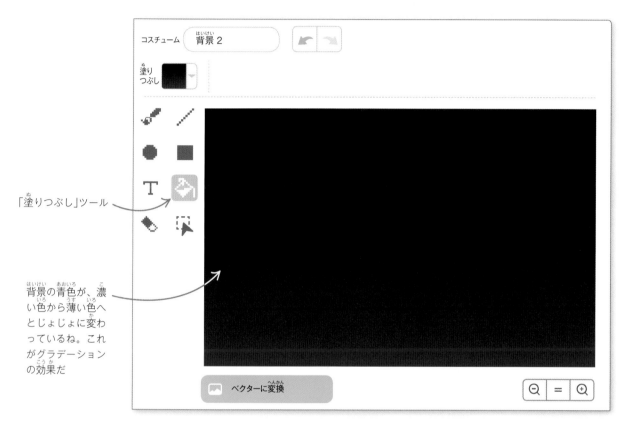

「塗りつぶし」ツール

背景の青色が、濃い色から薄い色へとじょじょに変わっているね。これがグラデーションの効果だ

---

7 ブロックパレットの「拡張機能を追加」ボタンをクリックして「ペン」を選ぼう（100ページを参照）。それからスプライトリストで雪を選び、コードタブをクリックだ。雪のクローンを作るために右のコードを組むよ。まだプロジェクトは実行しないようにしよう。

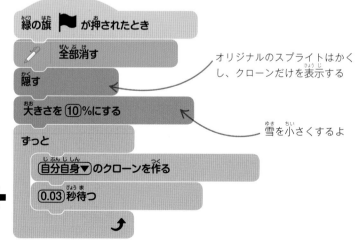

オリジナルのスプライトはかくし、クローンだけを表示する

雪を小さくするよ

8 クローンされた雪のために
右のコードを作ろう。クローンはステージの上から下へ、左右にゆれながら落ちていくぞ。

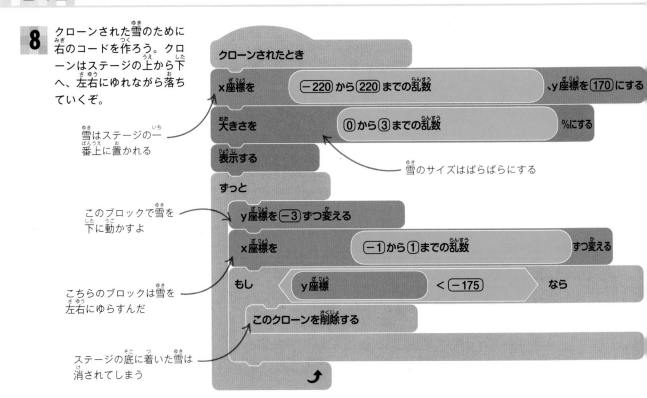

雪はステージの一番上に置かれる

雪のサイズはばらばらにする

クローンされたとき

x座標を （-220）から（220）までの乱数 、y座標を（170）にする

大きさを （0）から（3）までの乱数 ％にする

表示する

ずっと

このブロックで雪を下に動かすよ → y座標を（-3）ずつ変える

x座標を （-1）から（1）までの乱数 ずつ変える

こちらのブロックは雪を左右にゆらすんだ → もし 〈 y座標 < （-175）〉 なら

このクローンを削除する

ステージの底に着いた雪は消されてしまう

9 プロジェクトを実行してみよう。雪がステージの上から下へと動き、底に着くと消えてしまうはずだ。

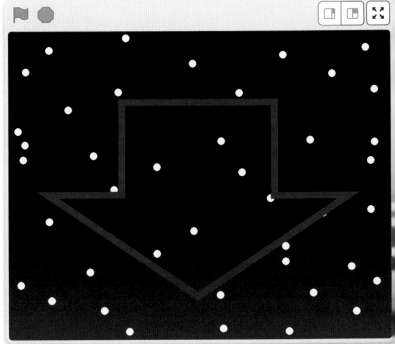

雪が積もる

実さいの寒い場所では、雪は地面に落ちてもとけずに積もっていく。このバーチャル雪景色でも雪が何かの上に積もるようにしよう。説明どおりに作ればむずかしくはないぞ。

10 まずステージの底に雪が積もるようにしよう。クローンの動きを止めてそのままにすれば雪が積もったように見えるけれど、スクラッチのクローンは一度に300個までしかステージに表示できないよ。雪が足りなくなってしまうね。それならクローンを削除する前にスタンプを残せばいい。

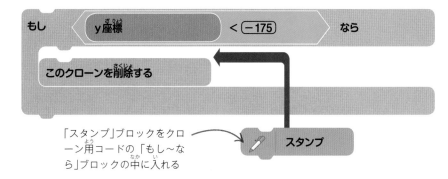

「スタンプ」ブロックをクローン用コードの「もし〜なら」ブロックの中に入れる

11 プロジェクトを実行すると、雪がステージの底にたまるはずだ。でも、うすく広がっているだけだね。雪が積もるようにするため「もし〜なら」ブロックをもう1つ追加して、何か白いもの——他の雪がそうだね——にふれたらスタンプを残すようにしよう。

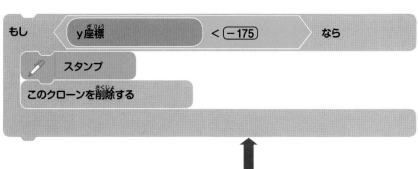

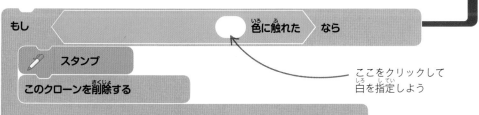

ここをクリックして白を指定しよう

12 プロジェクトを実行して、雪が積もるのをながめてみよう。何かおかしいぞ。雪が積み重なってちょうこくのようになっている！ 本物の雪はもっと平たく積もるものだ。

雪は白いものの上に重なっていくよ

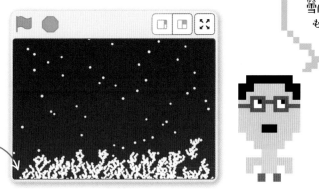

雪ほどすてきなものはない！

13 雪がもっと平たく積もるようにコードを変えてみよう。雪が白いものにふれたらサイコロを振り、1が出たときだけスタンプを残すようにする。これで雪が積もりにくくなり、あとから来た雪は今よりも地面に近いところまで進むようになる。そうすれば積もり方は平たくなるね。

「〜かつ〜」ブロックを入れて、条件が両方とも真（正しい）かチェックするよ

サイコロを振って1のときだけ真になるね

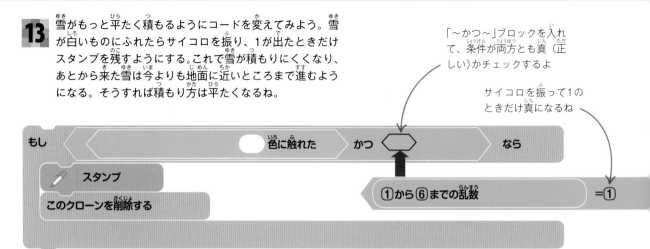

14 プロジェクトを実行したら何が起きるかな。「〜から〜までの乱数」ブロックの「6」を他の数にしてみよう。数が大きいほど雪は平らに積もるはずだ。

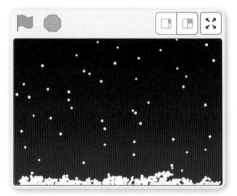

15 何かのスプライトを置いて、その上に雪が積もるようにしよう。スプライトリストでスプライトのボタンを押し、ライブラリーで好きなスプライトを選ぶ。ここでは「Snowman」を選んで名前を「雪だるま」にするよ。下のように雪のコードに「もし〜なら」ブロックを追加して、今置いたスプライトに雪が積もるようにしよう。

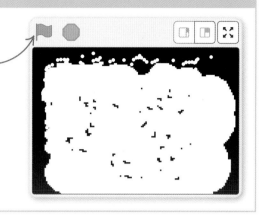

うまくなるヒント

ターボモード

雪がなかなか積もらずにイライラするなら、スクラッチの「ターボモード」でスピードアップできる。Shiftキーを押したまま緑の旗を押せばターボモードになるよ。ターボモードにしてからプロジェクトを実行すればいい。スクラッチはブロックの実行時間を短くして、すばやく次のブロックにとりかかるから、雪がどんどん積もっていくぞ。

Shiftキーを押したまま緑の旗を押せばターボモードのオンオフを切りかえられる

ひみつのスプライト

見えない何かに雪が積もり、じょじょにすがたがあらわれるようにしてみよう。かんたんに改造できるぞ。プロジェクトのコピーを作ってからとりかかろう。

16 スプライトリストで筆のボタンをクリックして、新しいスプライトを作るよ。「インビジブル」という名前にして、ペイントエディターでインビジブルのすがたをかこう。すがたはどんなものをモデルにしてもいい。馬などの動物や、誰かの名前でもいいんだ。ただしサイズは大きくして、色は一色で塗りつぶそう。コスチュームは1つだけでなく、いくつか用意してもいいぞ。

17 右のコードをインビジブルのために作ろう。インビジブルをステージ中央に置き、幽霊の効果で見えなくするよ。「隠す」ブロックを使わないのは、インビジブルの上に雪が積もらなくなってしまうからだ。

このブロックでスプライトを見えなくするけれど、雪は積もっていくよ

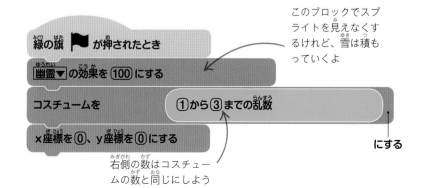

右側の数はコスチュームの数と同じにしよう

18 クローン用コードを下のように変えよう。これで雪は
インビジブルにしか積もらなくなる。ステージの底に
着いた雪は何もせずに消えてしまうよ。

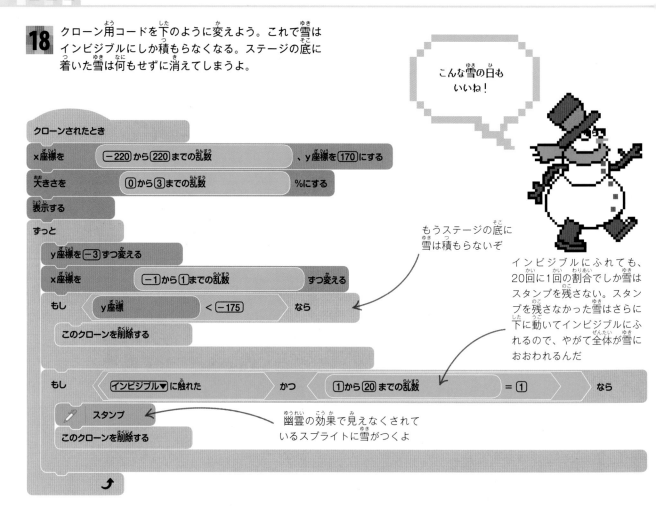

```
クローンされたとき

x座標を (−220) から (220) までの乱数 、y座標を (170) にする

大きさを (0) から (3) までの乱数 %にする

表示する

ずっと
    y座標を (−3) ずつ変える
    x座標を (−1) から (1) までの乱数 ずつ変える
    もし  y座標 < (−175)  なら
        このクローンを削除する

    もし  (インビジブル▼) に触れた  かつ  (1) から (20) までの乱数 = (1)  なら
        / スタンプ
        このクローンを削除する
```

こんな雪の日も
いいね！

もうステージの底に
雪は積もらないぞ

インビジブルにふれても、
20回に1回の割合でしか雪は
スタンプを残さない。スタン
プを残さなかった雪はさらに
下に動いてインビジブルにふ
れるので、やがて全体が雪に
おおわれるんだ

幽霊の効果で見えなくされて
いるスプライトに雪がつくよ

19 ライブラリーから「Winter」のようなすてきな背景を読み
こもう。インビジブルが雪でしだいにすがたをあらわすよ。
クローンを作るループから「〜秒待つ」ブロックを取りのぞ
くか、ターボモードで実行すれば、インビジブルがすがたを
あらわすまでの時間が短くなるぞ。

改造してみよう

ゲームの場面に雪や雨がふってくればムード作りにとても役立つね。ここでしょうかいする改造方法を試して、いろいろなプロジェクトで雪をふらせよう！

▶大きく育つ雪

プロジェクトを実行していると、雪のかたまりが空にうかんでいるように見えることがあるかもしれない。これは動いている2つの雪がぶつかってスタンプを残し、そこにあとから来た雪がぶつかってスタンプをさらに残していったためだ。雪がつぎつぎにくっついて大きく育つよ。ただし説明どおりにコードを作っていれば、たまにしか起きないことだ。そこでコードの中の数を変えて、本当に起きるか実験してみよう。数を変えられるのは、雪の大きさ、スピード、左右へのゆれ方、次のクローンを作るまでの時間だね。

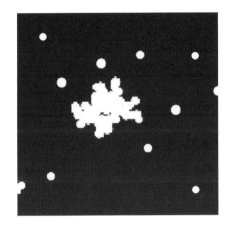

■■　ためしてみよう

宇宙船

まず雪のコスチュームを白か黄色の点にする。そして雪をゆらすために乱数を使っている「x座標を～ずつ変える」ブロックを取り去ろう。これでステージの上から下へと星が流れていく宇宙空間のでき上がりだ。背景は黒で塗りつぶし、宇宙船と小さなわく星をいくつか加えれば、かんたんなロケットゲームになるね。

▶プロジェクトに雪を加える

1番から8番までで作った雪のコードブロックを他のプロジェクトで使ってみよう。「バースデーカード」で使えばクリスマスカードになるね。8番までのコードでは、雪は他のスプライトとは関係なく動いている。だから特殊効果として使えるんだ。他のスプライトで雪がかくされないよう、クローン用コードの最初の方に「最前面へ移動する」ブロックを入れる必要があるよ。雨にしたければ、雪のコスチュームを濃いグレーの雨つぶに変えよう。

コードの先頭部分にこのブロックを入れる

```
クローンされたとき

　　　　　　　　最前面▼へ移動する

x座標を 　−220 から 220 までの乱数 　、y座標を 170 にする
```

花火
<ruby>花<rt>は</rt>火<rt>な</rt><rt>び</rt></ruby>

<ruby>花<rt>はな</rt></ruby><ruby>火<rt>び</rt></ruby>をシミュレートするにはスプライトがたくさん必要なように感じるけれど、スクラッチのクローンを利用すればかんたんだ。クローンなら、花火が夜空ではれつして「星（火薬のつぶ。光の一つ一つになる）」が飛び散るのを楽に表現できる。コンピューターグラフィックでは、つぶをたくさん動かすテクニックをパーティクルエフェクトと呼んでいるよ。

しくみ

ステージの好きな場所をクリックすると、その場所までロケットが飛んできてはれつし「星」をまき散らす。つまり花火が打ち上るんだ。花火の300個の星はたった1つのスプライトから作られている。「改造してみよう」では重力をシミュレートして、クローンがまたたきながら広がって下へ落ち、やがて消えてしまう様子を表現するよ。

◀ロケット

このプロジェクトで使うのはロケット型の花火だ。マウスをクリックすれば打ち上るよ。ペイントエディターでかくけれど、ロケットを色つきの直線1本で表現してもいいし、細かくかきこんでもいいよ。

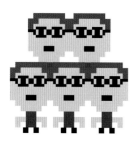

◀クローン

色つきの丸い星を表現するため、クローンを300個使おう。スクラッチで一度に表示できるクローンの最大数だ。それぞれのクローンは少しずつちがうコースとスピードで、輪になって広がるよ。

緑の旗を押せばプロジェクトが動く

空に打ち上げられたロケットがはれつして星をまくよ

花火がはれつすると
ステージが光るよ

ロケットから広がる300個
の星はクローンだ

「改造してみよう」では星
に曲線をえがかせる方法
をしょうかいするぞ

花火にちょうどよい背景
を自作してみよう

ロケットを作る

最初に小さなロケットを作ろう。このロケットを打ち上げると空ではれつして、まわりに星をまき散らす。マウスのポインターでクリックした場所に向けてロケットが飛ぶようにコードを作るよ。

1 新しいプロジェクトを開始したらネコのスプライトを削除する。アイコン右上の削除ボタンを押すか、アイコン上で右クリックしてメニューの「削除」を選べばいい。それからスプライトメニューの筆のボタンを押してペイントエディターを開き、新しいスプライトを作ろう。スプライトの名前は「ロケット」に変えてね。

2 左下の表示を「ベクターに変換」にしてから、「線」と「筆」ツールでロケット花火をかくよ。小さいロケットでよければ、赤い線を引くだけでいい。でももっとリアルなロケットもかけるね。

「筆」ツール

「選択」ツール

ロケット点火！

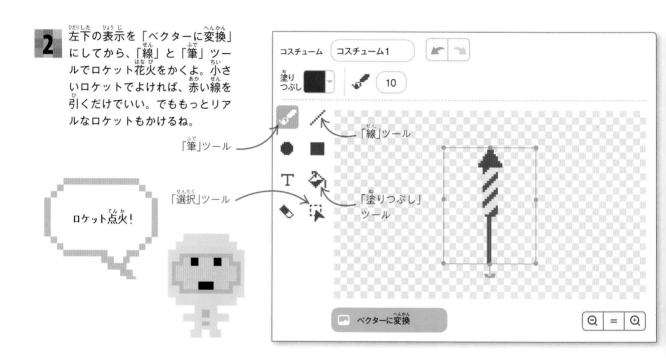

コスチューム　コスチューム1

塗りつぶし　　　　10

「線」ツール

「塗りつぶし」ツール

ベクターに変換

3 ロケット花火がうまくかけたら、ロケットをかこむように「選択」ツールを使い、表示される青いわくをドラッグできるようにする。青いわくについている丸い点を選んで動かし、ロケットの大きさを調整しよう。横の幅は10以下、高さは50以下にしておこう。サイズはコスチュームのリストに表示されるよ。

コスチュームのサイズはここに表示されるよ

1

コスチューム1
10×50

4 スクラッチウィンドウ右下のステージを選んで背景タブをクリックし、「背景1」の名前を「フラッシュ」に変えよう。花火がはれつしたときステージを光らせるのに使うよ。次に背景メニューで筆のボタンを押してメインの背景をかこう。名前は「夜空」にしてね。

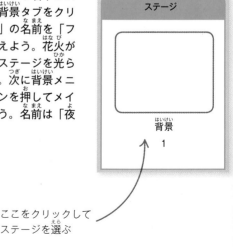

ステージ

背景
1

ここをクリックしてステージを選ぶ

5 夜空をより美しくするには、黒一色で塗りつぶすよりは２色のグラデーションにした方がいいね。「塗りつぶし」ツールを選び、濃い青で上下のグラデーションを指定しよう。そしてペインティングエリアをクリックすれば、上の方は黒に近い青になり、下の方は色が少しうすくなるはずだ。さらに黒と黄色の四角形を組み合わせ、右の図のようにビルをかき加えればムードが出るぞ。

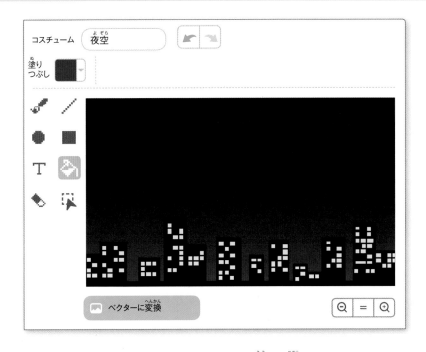

6 ではロケットのスプライトを選び、左のコードを組み立てよう。マウスでクリックした場所までロケットを飛ばすためのコードだ。

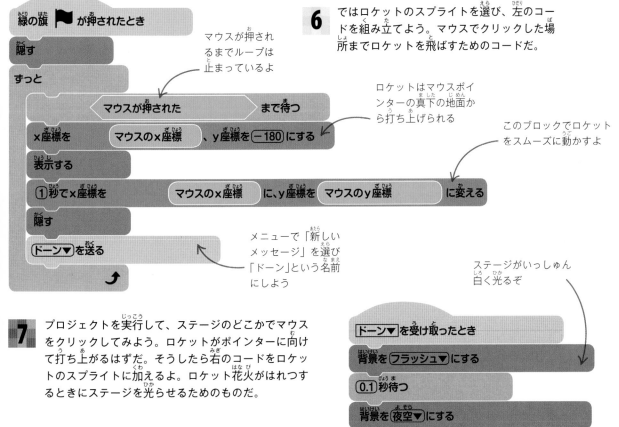

緑の旗 🚩 が押されたとき

隠す

ずっと
　　マウスが押された　まで待つ
　　x座標を　マウスのx座標 、y座標を −180 にする
　　表示する
　　①秒でx座標を　マウスのx座標 に、y座標を　マウスのy座標 に変える
　　隠す
　　ドーン▼ を送る

マウスが押されるまでループは止まっているよ

ロケットはマウスポインターの真下の地面から打ち上げられる

このブロックでロケットをスムーズに動かすよ

メニューで「新しいメッセージ」を選び「ドーン」という名前にしよう

7 プロジェクトを実行して、ステージのどこかでマウスをクリックしてみよう。ロケットがポインターに向けて打ち上がるはずだ。そうしたら右のコードをロケットのスプライトに加えるよ。ロケット花火がはれつするときにステージを光らせるためのものだ。

ステージがいっしゅん白く光るぞ

ドーン▼ を受け取ったとき

背景を フラッシュ▼ にする

0.1 秒待つ

背景を 夜空▼ にする

花火の星

本物の花火には小さな火薬のつぶ（星と呼ぶよ）が
たくさんつめられている。この星に火がつくときれ
いな色で燃えるんだ。打ち上げ花火は、燃える星を
空に飛び散らせているんだね。クローンを使って星
をシミュレートしてみよう。説明どおりに作って花
火を打ち上げるぞ。

8 スプライトメニューの筆のボタンを押して、「星」
という新しいスプライトをかくよ。かき始める前に、
ペイントエディター左下の表示を「ビットマップに
変換」にしておこう。とても小さな円をかくときは、
ベクターモードの方がきれいな円をかけるんだ。

この表示になって
いるかチェックだ

9 コスチュームが小さいときは、
右下の「＋」のボタンを押して
拡大表示しよう。星を作るに
は緑色の小さな円をかけばい
い。明るい緑色を指定してから
「円」ツールを選び、Shiftキー
を押したままドラッグすればき
れいな円になるよ。

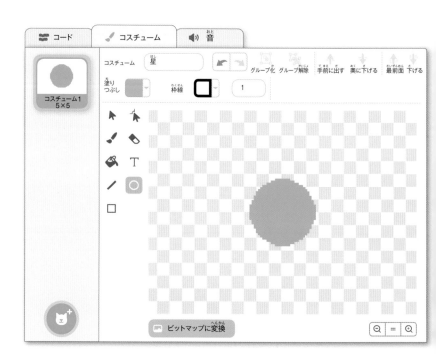

10 コスチュームリストで円のサイズをチェックしよ
う。大きさはだいたい5×5になっていればいい
よ。サイズを調整したいときは、「選択」ツール
を選んで円をクリックすれば青いわくが表示され
る。青いわくの角にある丸いしるしを選んでドラ
ッグすればサイズを変えられるぞ。

11 では星のスプライト用に下のコードを作ろう。はれつ
するときに飛び散る300個のクローンを作ってかくし
ておくんだ。

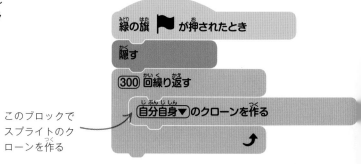

このブロックで
スプライトのク
ローンを作る

12 ブロックパレットの「変数」を押し、新しい変数「スピード」を作るよ。ダイアログボックスでは「このスプライトのみ」を選ぶ。これで星のクローンは、自分だけが使える変数「スピード」を1つずつ持つことになる。「スピード」の値をクローンごとに変えられるね。変数の前のチェックボックスのチェックは外しておこう。

新しい変数

新しい変数名:

スピード

○ すべてのスプライト用　◉ このスプライトのみ

キャンセル　OK

13 花火がはれつするときに使うコードを星のスプライトに追加しよう。一つ一つのクローンがこのコードのコピーを持っていて、そこに書かれた命令を実行するよ。

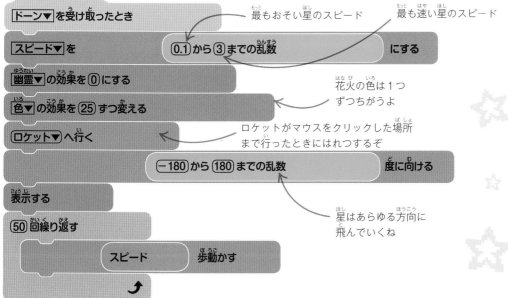

最もおそい星のスピード

最も速い星のスピード

ドーン▼ を受け取ったとき

スピード▼ を （0.1）から（3）までの乱数 にする

幽霊▼ の効果を（0）にする

色▼ の効果を（25）ずつ変える

花火の色は1つずつちがうよ

ロケット▼ へ行く

ロケットがマウスをクリックした場所まで行ったときにはれつするぞ

（−180）から（180）までの乱数 度に向ける

表示する

星はあらゆる方向に飛んでいくね

（50）回繰り返す

　スピード 歩動かす

14 コードの終わりに、下の「〜回繰り返す」ループをつなげよう。このループで星はスピードをしだいに落とし、色をうすくし、やがては消えてしまうようになるぞ。

ループがくり返されるごとに星のスピードを少しずつ落とすよ

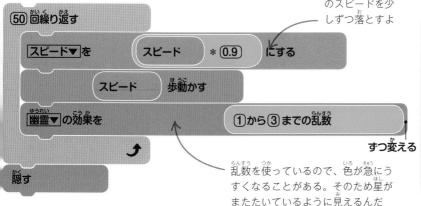

（50）回繰り返す

　スピード▼ を （スピード * 0.9）にする

　スピード 歩動かす

　幽霊▼ の効果を （1）から（3）までの乱数

　ずつ変える

隠す

乱数を使っているので、色が急にうすくなることがある。そのため星がまたたいているように見えるんだ

15 プロジェクトを実行してみよう。ロケットがはれつするときれいな星がたくさん飛び散り、やがて消えていくはずだ。

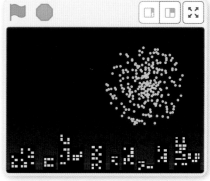

改造してみよう

花火を改造して、いくつもの色の星を同時に散らしたり、星
が尾を引いたりするようにしよう。クローンを使えばいろい
ろな視覚効果——「パーティクルエフェクト」と呼ぶよ——
を試せるぞ。

▼星が広がらない

プロジェクト開始直後にロケットを打ち上げると、星が広がらず一直線
に並ぶことがある。このバグは、クローンを作り終える前にロケットが
はれつすると発生する。バグを直すため、星のスプライトの「緑の旗が
押されたとき」で始まるコードの最後に、「～を送る」ブロックを追加
しよう。そしてロケットのスプライトのコードを変えて、星からのメッ
セージを受け取ってからコードが実行されるようにするんだ。

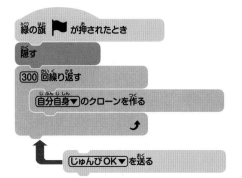

星のスプライト

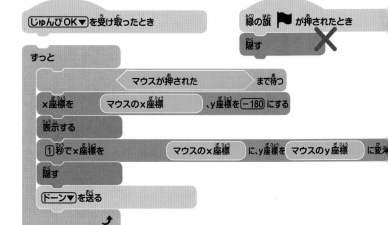

ロケットのスプライト

▼星の色を変える

花火しょく人は星に化学物しつを入れて色を
つけているぞ。星のスプライトのコードをい
じって、花火がはれつしたあとに星の色が変
わるようにしてみよう。

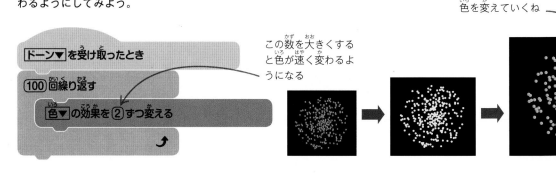

この数を大きくする
と色が速く変わるよ
うになる

星は広がりながら
色を変えていくね

▼いくつもの色の星

下のコードを加えれば、ちがう色の星
が飛び散るようになるぞ。

メッセージを受け取ったクロー
ンは、それぞれがコピーして持
っているコードを実行するよ

> ┌─────────────────┐
> │ ドーン▼ を受け取ったとき │
> └─────────────────┘
> 色▼ の効果を 〔-100 から 100 までの乱数〕 にする

▶重力の効果

星が重力に引かれて落下するように
し、尾(星が引くすじ)もつけてみよう。
「ドーンを受け取ったとき」で始まる
星のコードを右のように変えるよ。タ
イマーの値が増える(時間がたつ)と
星は速く落ちるようになる。現実の世
界でも、落下している物はしだいに速
く落ちるようになるね。これは重力が
働いているためだ。星が尾を引くよう
になったら、尾の色や明るさを変えて
みよう。尾がしだいに消えていくのも
いいね。やり方はわかるかな? ペン
のブロックを試してみよう。

タイマーを0にする。タ
イマーは1秒ずつ進むぞ

タイマーの値が大きく
なると、星はさらに速
く落ちるようになる

尾をすべて消
してしまうよ

ペンで尾をかこう

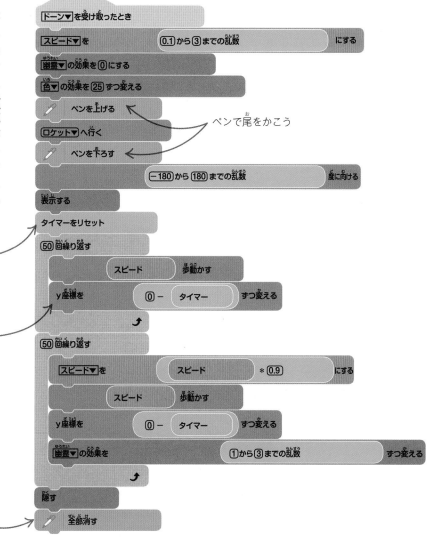

フラクタルツリー

木をかくには芸じゅつ的なセンスがいるし、手がかかると感じたことはないかな。でもこのプロジェクトは木を自動的にかいてくれるぞ。フラクタルという考え方を使って、木が自然の中で育っていくのをシミュレートするよ。

葉はボールのスプライトから作ったクローンだ

しくみ

プロジェクトを実行すると、地面からすぐに木が生えて大きく育つよ。木の形は「フラクタル」と呼ばれる形になっていて、その形には同じパターンがくり返しあらわれるんだ。フラクタルになっている図形の一部分を切り取ってよく見ると、もとの大きな図形とそっくりになっている。このように同じパターンがくり返す図形は、プログラムのループでかんたんにかけるよ。

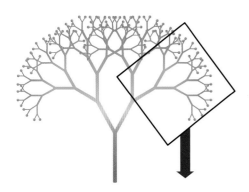

一部分を切り取ったら、もとの木のミニチュアのようになったよ

先端にいくほど枝は細く色は濃くなっているね

枝はスクラッチのペンでかいているよ

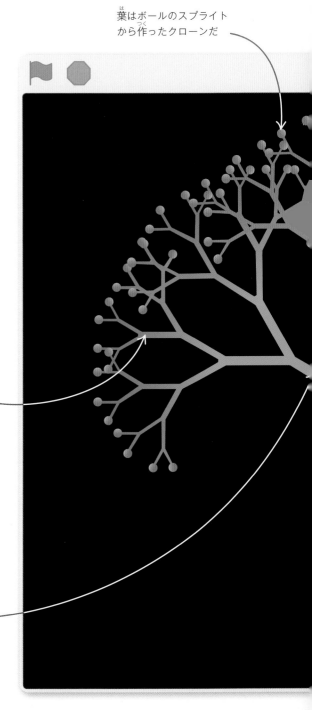

枝はたくさんのボールのクローンがかいている。二またに分かれながら先に進んでいるぞ

このボタンをクリックすれば全画面表示からもとにもどるよ

ロマネスコ
（カリフラワーの一種）

エジプトのナセル湖

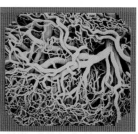

人間の静脈（血管）

▲自然の中のフラクタル

自然の中にはフラクタルな形がいくつもある。木、川、雲、血管、ブロッコリーなどだ。木の枝や血管のように、分かれてのびながら成長するときにフラクタルの形になりやすいよ。

しくみ

「恐竜のダンスパーティー」では、アルゴリズムをもとにバレリーナがダンスをしていたね。アルゴリズムは、一つ一つはかんたんな命令をいくつも集め、決まった順番で実行していく手順のことだ。このプロジェクトでも、アルゴリズムどおりに動くコードで木をかくことになる。紙と鉛筆を使って、下の3つのステップをきちんと理解しておこう。

1 太いペンで直線を1本かく

2 直線の先端で線を二またに分ける。新しくかく直線はもとの線よりも細く短くする

3 木になったかな？　まだ木に見えないならステップ2をくり返そう。ここまでのかんたんな命令をループで何度も実行すると、枝が何本ものびたふくざつな形がかける。本物の木みたいになるよ。

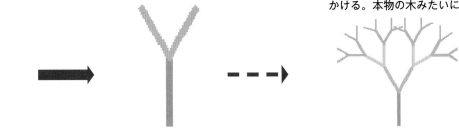

葉と枝

ボールのスプライトで葉をかき、ペンで枝をかいてフラクタルな木にしよう。枝が分かれるたびに新しいクローンを作る。1本の幹から何本もの枝が分かれていくうちに、クローンの数がどんどん増えていくぞ。

1 新しいプロジェクトを開始したらネコのスプライトを削除しよう。スプライトのボタンを押してライブラリーから「Ball」を選ぶ。名前は「葉」に変えておいてね。コスチュームタブをクリックして、緑色のコスチュームを選ぼう。

葉

2 ブロックパレットの「変数」を選び、「角度」、「長さ」、「短くなる度合い」の3つの変数を作る。変数の前のチェックボックスからチェックを外し、ステージに表示されないようにしてね。

変数

変数を作る

ここをクリックして
1つずつ変数を作る

☐ 角度

☐ 短くなる度合い

☐ 長さ

☐ 変数

3 葉のスプライトのために下のコードを作るから、「拡張機能を追加」を選んでペンを加えるのをわすれないようにしよう。新しいメッセージの「枝をかく」と「枝を分ける」も作るよ。まだプロジェクトは実行しないぞ。

緑の旗 🏁 が押されたとき

🖊 全部消す

🖊 ペンを上げる

大きさを ⑩ %にする

角度▼ を ㉚ にする

長さ▼ を ⑨⓪ にする

短くなる度合い▼ を ⓪.⑦⑤ にする

この3つの変数で木の見た目が決まるよ

x座標を ⓪、y座標を −⑰⓪ にする

⓪ 度に向ける

ここをクリックすればペンの色を変えられる。茶色を指定しておこう

🖊 ペンの色を ◯ にする

🖊 ペンの太さを ⑨ にする

🖊 ペンを下ろす

このブロックで木の幹をかくよ

枝をかく▼ を送って待つ

ループが実行されるたびに枝分かれが起きるぞ

⑧ 回繰り返す

　枝を分ける▼ を送って待つ

枝は分かれる前よりも短くなっていくよ

　長さ▼ を 長さ * 短くなる度合い にする

　枝をかく▼ を送って待つ

↱

4 今作ったコードとは別に、右のコードを作っておこう。メッセージ「枝をかく」をメインのコードから受け取ったクローンに枝をかかせ、次にかく枝の色と太さをセットしておくんだ。

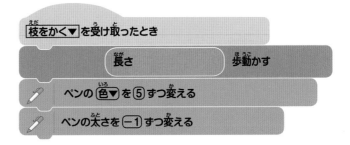

枝をかく▼ を受け取ったとき

　長さ 歩動かす

🖊 ペンの 色▼ を ⑤ ずつ変える

🖊 ペンの太さを −① ずつ変える

5 下のコードを追加すれば、枝分かれが起きるようになるぞ。ボール（葉）のクローンを作り、もとのボールと今作ったボールの2個1組で向きを変えて前に進める。このとき2個の向きは変数「角度」で決めただけ開いているよ。このコードが実行されると、それぞれの枝の先にはボールのクローンが2つずつちがう向きでくっつく。次の2本の枝をすぐにかけるようになっているんだ。

```
┌─────────────────────────┐
│ 枝を分ける▼ を受け取ったとき │
└─────────────────────────┘
  ↻  [ 角度 ]  度回す

  自分自身▼ のクローンを作る

  ↩  [ 角度 ]  度回す
  ↩  [ 角度 ]  度回す
```

前にかいた枝とはちがう向きに枝をのばすため、決められた角度だけ回している

反対側の枝をかくため2回回しているね

6 プロジェクトを実行すると、下の図のようなきれいな木がかけるはずだ。ステージの上の赤いボタンを押せば、「葉」が見えなくなって枝だけになるぞ。

全画面モードがあるのをわすれないようにしよう。

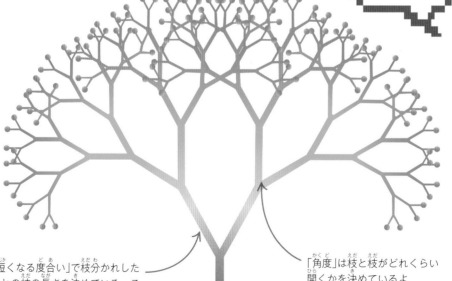

「短くなる度合い」で枝分かれしたあとの枝の長さを決めている。このコードでは、新しい枝は枝分かれ前の75%の長さになるね

「角度」は枝と枝がどれくらい開くかを決めているよ

変数「長さ」で毎回次にかく枝の長さが決められている。最初の値は幹の長さだね

7 木が見やすくなるように背景を変えてみよ
う。下にいくつかサンプルをのせておくね。

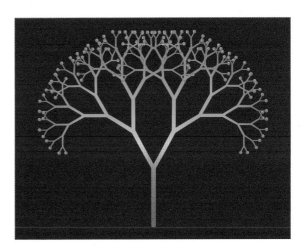

改造してみよう

設定を変えれば、いろいろな形の木に育てられるぞ。乱数を
使えば、毎回ちがった木がかけるようになるね。

▼角度を変えてみる

コードブロックを見ると、最初のオレンジ色のブロックで変数「角度」を使っている。この値を変えてみよう。値を乱数で決めるようにすれば、木の形がランダムに決まるぞ。自然の木に近い形にするなら「10から45までの乱数」にすればいい。変数の値を変えやすくするには、変数の前のチェックボックスにチェックを入れてステージに表示し、さらにスライダー表示にしよう。その場合、「角度を〜にする」のブロックは削除しておこう。

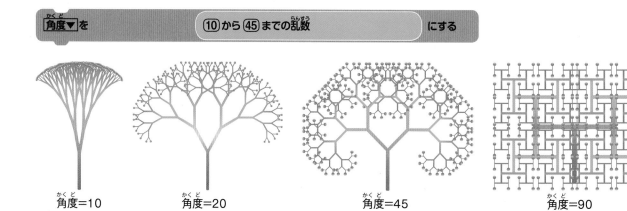

角度=10 角度=20 角度=45 角度=90

▼変わり続ける角度

「角度を〜にする」ブロックを「8回繰り返す」
のループの中に入れてみよう。枝分かれする
たびに、枝と枝の角度が変わるはずだね。

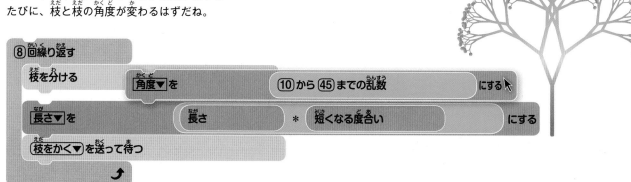

▼木の高さは？

変数「長さ」と「短くなる度合い」も変えてみよう。でも木が小さくなりすぎたり、ステージにくらべて大きくなりすぎたりするかもしれない。注意してね。

角度=30
長さ=90
短くなる度
合い=0.5

角度=30, 長さ=50, 短くなる度合い=0.9

枝分かれの回数を変えるには、この数を変えればいいね。変数で指定する方法もある。そのときは、コードの最初の部分で変数に数をセットしよう

```
8回繰り返す
    枝を分ける▼を送って待つ
    長さ▼を  長さ  *  短くなる度合い  にする
    枝をかく▼を送って待つ
    ↵
```

▼クローン不足に気をつけよう！

「～回繰り返す」ループで指定している数で、枝分かれの回数を決めている。スクラッチで1度に使えるクローンは300個だ。8回枝分かれするということは255個のクローンを使うことになる。これ以上多く枝分かれするとクローンが足りなくなってしまうぞ。

森を作る

プロジェクトを改造して、マウスでクリックしたところに木が生えるようにしてみよう。ステージを森にできるぞ。改造の方法を説明しよう。

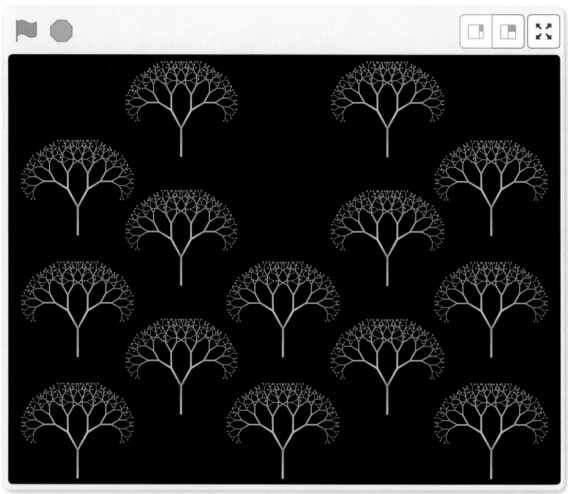

メニューを開いて新しいメッセージ「クローンをすべて削除」を作ろう

1 右のコードを作って、クローンを削除する前にスタンプを残すようにする。クローンを削除してから次の木をかくから、クローン不足にはならないね。

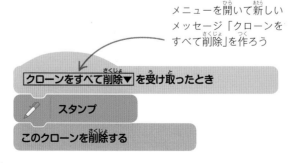

2 メインのコードを下の
ように改造しよう。

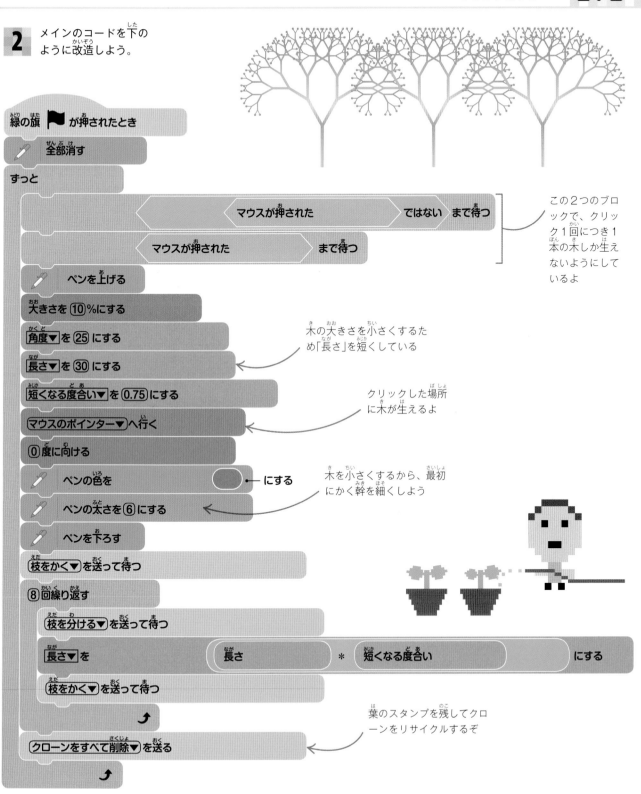

緑の旗 🚩 が押されたとき

🖊 全部消す

ずっと

> マウスが押された ではない まで待つ

> マウスが押された まで待つ

この2つのブロックで、クリック1回につき1本の木しか生えないようにしているよ

🖊 ペンを上げる

大きさを 10 %にする

角度▼ を 25 にする

長さ▼ を 30 にする

木の大きさを小さくするため「長さ」を短くしている

短くなる度合い▼ を 0.75 にする

🖊 マウスのポインター▼ へ行く

クリックした場所に木が生えるよ

0 度に向ける

🖊 ペンの色を ◯ にする

🖊 ペンの太さを 6 にする

木を小さくするから、最初にかく幹を細くしよう

🖊 ペンを下ろす

枝をかく▼ を送って待つ

8 回繰り返す

> 枝を分ける▼ を送って待つ

> 長さ▼ を 長さ * 短くなる度合い にする

> 枝をかく▼ を送って待つ

↩

葉のスタンプを残してクローンをリサイクルするぞ

クローンをすべて削除▼ を送る

↩

雪の結晶

雪の結晶には数えきれないほどの形があることは知っているかな。同じ形の結晶はないとさえ言われているよ。でも六角形をもとにした形という共通点がある。むずかしい言葉で六回対称性と呼ばれるパターンなのだけれど、この六回対称性のおかげで、雪の結晶はプログラムでまねしやすいんだ。フラクタルツリーと同じテクニックを使えるけれど、今度は実行するたびにちがう形ができあがるぞ。

しくみ

プロジェクトを実行するとステージに雪の結晶があらわれるよ。あとでコードを変えれば、マウスでクリックした位置にあらわれるようになる。雪の結晶はどれも、6本のフラクタルツリーが合わさったような形に見えるね。白い線をかく角度と長さは乱数で決めているから、自然の雪と同じように数えきれないほどいろいろな形を作れるんだ。

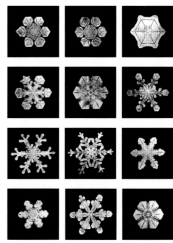

▲本物の雪の結晶

雪の結晶が六角形をもとにした形になるのは、六角形の氷のつぶから大きく育っていくからだ。このとき、まわりの空気の温度と湿度のわずかなちがいや変化が育ち方を変えてしまう。そのため、一つ一つの結晶がちがう育ち方をしてちがう形になるんだね。

▲にせ物の雪の結晶

プログラムでかくときは、本物が持つ六回対称性にあわせ、スプライトを５つ使ってかき始める。それからフラクタルツリーと同じように線が何回も枝分かれされるけれど、開き方（角度）は毎回変わるようになっているよ。

シンメトリーな（左右対称な）枝

フラクタルツリーのアイデアを生かして雪の結晶を作るにはどうすればいいだろうか？　まずはランダムさをなくして、決まった形の雪の結晶をかいてみよう。

1 新しいプロジェクトを開始したらネコのスプライトを削除する。それからスプライトメニューの筆のボタンをクリックして新しいスプライトを作るよ。今回、結晶はコードでかくから、コスチュームをかく必要はないぞ。

スプライト1

2 雪の結晶がよく見えるように背景を黒くしてしまおう。ウィンドウ右下のステージを選び、ブロックパレット上の背景タブをクリックする。ペイントエディターで左下の表示を「ベクターに変換」にしてから、「塗りつぶし」ツールを使って背景を黒一色にぬってしまおう。

ステージ

背景
1

ここをクリックしてステージを選ぶ

3 ステージを選んだまま、ブロックパレットの「変数」をクリックして新しい変数を作ろう。「角度」、「長さ」、「レベル」、「シンメトリー」、「最初の角度」の5つだ。ステージに変数が表示されないよう、チェックボックスのチェックは外しておいてね。

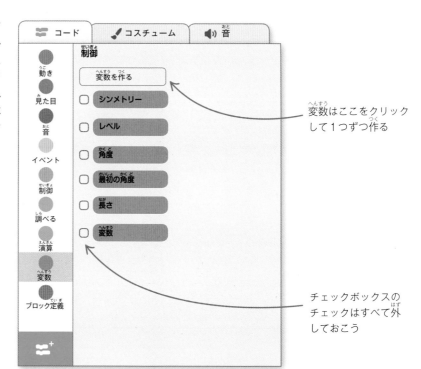

変数はここをクリックして1つずつ作る

チェックボックスのチェックはすべて外しておこう

4 スプライトリストのスプライト1を選び、下のコードブロックを作るよ。「拡張機能を追加」を押してペンを選ぶのをわすれないように。このコードはシンメトリーな（対称性のある）図形をかくため、クローンの向きを一つ一つ決めていくためのものだ。

まだ作っていないなら、「現在のレベルをかく」というメッセージを作ろう

オリジナルとクローン、両方のスプライトがこのコードを実行するよ。スプライトはそれぞれ決められた向きに枝をかいていくぞ

緑の旗 🚩 が押されたとき

最初にのびる枝の本数を決めている

シンメトリー▼ を ⑥ にする

🖊 全部消す

🖊 ペンの色を ◯ にする

🖊 ペンの太さを①にする

だ円をクリックして白を指定しよう

🖊 ペンを上げる

x座標を⓪、y座標を⓪にする

🖊 ペンを下ろす

現在のレベルをかく▼を受け取ったとき

長さ 歩動かす

最初にかく枝同士の角度を計算しているね

最初の角度▼ を （360） / シンメトリー にする

シンメトリー ー① 回繰り返す

自分自身▼ のクローンを作る

↻ 最初の角度 度回す

クローンを5つ、ちがう向きで作っているぞ

長さ▼ を ⑩⓪ にする

現在のレベルをかく▼ を送って待つ

メニューを開いて「新しいメッセージ」を選び、「現在のレベルをかく」というメッセージを作ろう

パターンを変えるには、コードで指定している数を変ればいいね。

5 プロジェクトを実行しよう。雪の結晶にするには変数「シンメトリー」を6にしなければならない。でもここでは他の数を入れて実験してみよう。

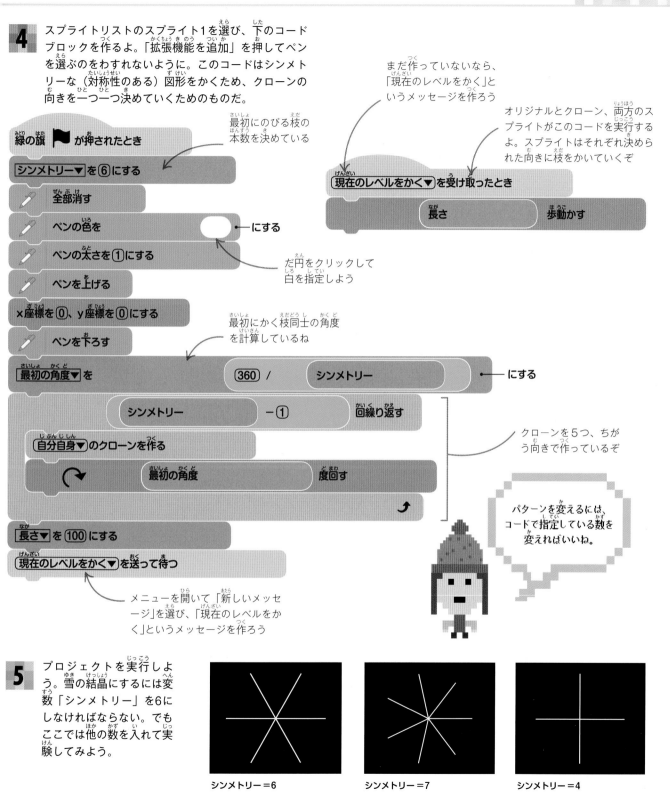

シンメトリー＝6　　シンメトリー＝7　　シンメトリー＝4

6 雪の結晶にするには、フラクタルツリーのように枝分かれる線を何本も引かなければならないね。オリジナルとクローンのスプライトにやってもらおう。メインのコードを下のように変えるけれど、まだ実行しないでね。

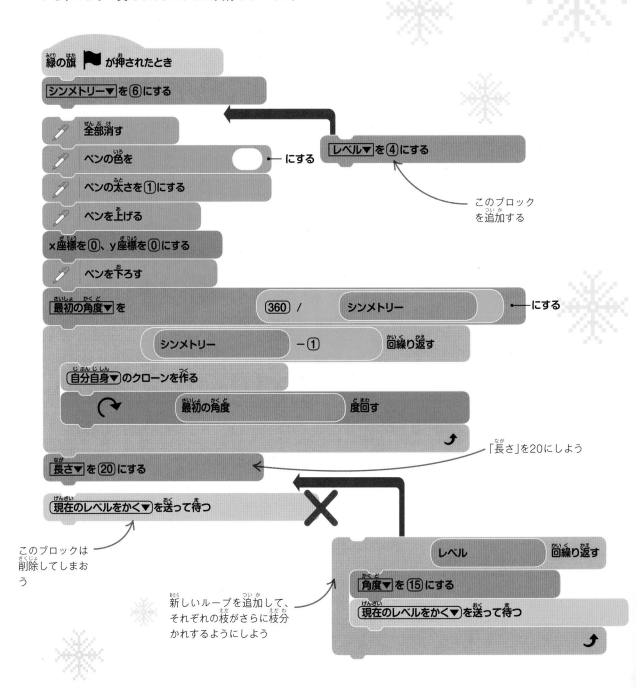

緑の旗 🏴 が押されたとき

シンメトリー▼ を ⑥ にする

全部消す

ペンの色を ⬭ にする

ペンの太さを ① にする

ペンを上げる

x座標を ⓪、y座標を ⓪ にする

ペンを下ろす

レベル▼ を ④ にする

このブロックを追加する

最初の角度▼ を ⑶⑹⓪ / シンメトリー にする

シンメトリー － ① 回繰り返す

自分自身▼ のクローンを作る

↻ 最初の角度 度回す

「長さ」を20にしよう

長さ▼ を ⑳ にする

現在のレベルをかく▼ を送って待つ

このブロックは削除してしまおう

新しいループを追加して、それぞれの枝がさらに枝分かれするようにしよう

レベル 回繰り返す

角度▼ を ⑮ にする

現在のレベルをかく▼ を送って待つ

7 「～を受け取ったとき」で始まるコードに、クローンを追加で作るためのブロックを加えるぞ。線をかいてきたクローン（またはオリジナル）はここでクローンを1つ作り、枝分かれできるように向きを変えるんだ。

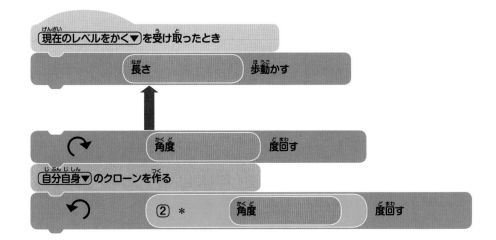

8 プロジェクトを実行すれば、右の図のように枝分かれした雪の結晶があらわれるよ。

雪の結晶をもっとよく見たいなら全画面モードがおすすめ。

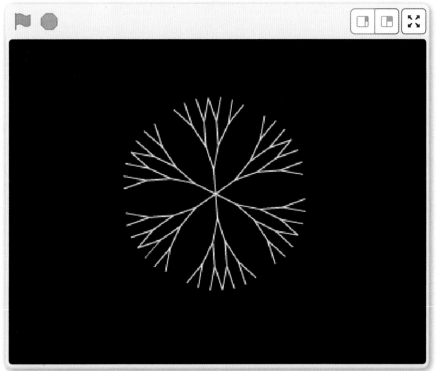

9 メインコードの最初の部分にある「～を～にする」ブロックで、変数「レベル」に入れる数を変えたらどうなるだろう。試してみよう。

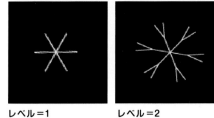

レベル＝1　　レベル＝2

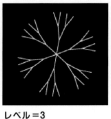

レベル＝3

レベル＝4

10 雪の結晶を一つ一つちがう形にしてみよう。「～から～までの乱数」ブロックをメインコードに入れるよ。

「～から～までの乱数」ブロックを追加する

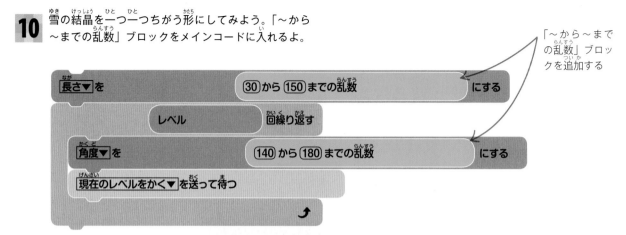

プロジェクトを実行するたびに、ちがう形の結晶が表示されるぞ。

改造してみよう

さあ実験だ！ このプロジェクトにはいじれるところがたくさんあるよ。ちょっと変えただけで、まったくちがうパターンが表示される。シンメトリー、レベル、角度、長さなどの数を変えるのもおもしろそうだ。今は白い線だけれど、色をつけてみてはどうかな。

▶変な形の結晶

ちょっとした改造だけれど、ふしぎな形の結晶でき上がる。線の長さを、枝分かれしたあとに乱数で決めるんだ。とても変わった形があらわれるぞ。

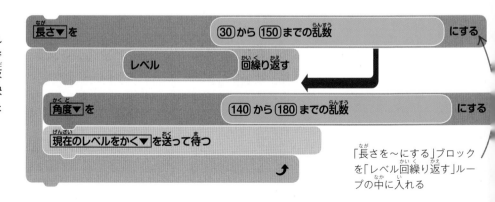

「長さを～にする」ブロックを「レベル回繰り返す」ループの中に入れる

▼クリックすれば雪の結晶

下のようにコードを変えて、ステージをマウスでクリックすると、クリックしたところに雪の結晶があらわれるようにするよ。結晶を書きすぎたときは、スペースキーを押せばステージがクリアされる。今まで作ってきたコードは別に保存しておこう。

クリックしたところに結晶があらわれる

緑の旗 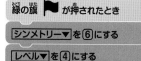 が押されたとき

シンメトリー▼ を ⑥ にする

レベル▼ を ④ にする

🖊 全部消す

🖊 ペンの色を ◯ —にする

🖊 ペンの太さを ① にする

「ずっと」ループを使って結晶をかき続けるぞ

ずっと

　マウスが押された ではない まで待つ

　マウスが押された まで待つ

「～まで待つ」ブロックを2つ使って、マウスがしっかりクリックされたかチェックする

🖊 ペンを上げる

マウスのポインター▼ へ行く

🖊 ペンを下ろす

「x座標を～、y座標を～にする」ブロックはこのブロックに取りかえよう

最初の角度▼ を ③⑥⓪ / シンメトリー —にする

シンメトリー —① 回繰り返す

自分自身▼ のクローンを作る

↻ 最初の角度 度回す

このブロックに入力する数を変えて結晶を小さくするよ

長さ▼ を ⑩ から ⑤⓪ までの乱数 にする

レベル 回繰り返す

角度▼ を ⑭⓪ から ⑱⓪ までの乱数 にする

現在のレベルをかく▼ を送って待つ

クローンをすべて削除▼ を送って待つ

こうしておけばクローンの数は不足しないですむね。新しいメッセージも作ろう

このコードはステージをクリアして結晶を消すよ

スペース▼ キーが押されたとき

🖊 全部消す

クローンを削除するためのコードだ

クローンをすべて削除▼ を受け取ったとき

このクローンを削除する

おんがく
音楽

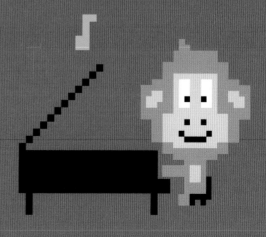

スプライトと音

君にはコンピューターにかじりついて遊んでいる弟や妹はいるかな？　今から取り組むのはそんな小さい子たちを楽しませられるプロジェクトだ。スプライトをクリックすると動いて音が鳴る。タッチスクリーンがあればいっそう遊びやすくなるぞ。

しくみ

このプロジェクトの遊び方はとてもかんたんだ。スプライトか背景をクリックすれば音が鳴り、アニメーションなど目に見える変化が起こるよ。

▼バーチャル・サーカス

おもしろい音と画像を組み合せて楽しめるプロジェクトだ。スプライトと音を好きなだけつめこんでステージをもり上げよう。

クリックするとスプライトごとにちがった動きをするよ

全画面モードでプレイするのが一番いいぞ。全画面モードならうっかりスプライトを動かしてしまうことがないんだ

ステージのどこでもいいからクリックすれば、必ず何かのアクションが実行され音が鳴るよ

背景のアクション

このプロジェクトでは、ステージのどこかをクリックすれば、必ず何かが起きるようになっているぞ。背景もそうだ。これから背景のセットのしかたを説明するよ。背景をセットしてからスプライトに取りかかろう。

さあ、
いっしょに！

1 新しいプロジェクトを始めよう。今回はネコのスプライトはそのままにしておいて、ウィンドウ右下の「背景を選ぶ」のボタンを押そう。ライブラリーが開くから「Stars」を選んでね。

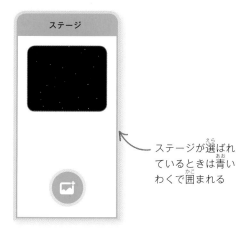

ステージが選ばれ
ているときは青い
わくで囲まれる

2 ステージが選ばれた状態で、ブロックパレットの上の音タブをクリックする。それからスピーカーの形の「音を選ぶ」ボタンを押す。ライブラリーから「Fairydust」を選ぼう。

この音を鳴らし終える
のに51秒かかるよ

3 背景のために下のコードを作り、背景がクリックされたときに音が鳴ってキラキラ光るようにするぞ。コードができたら背景をクリックしてみよう。

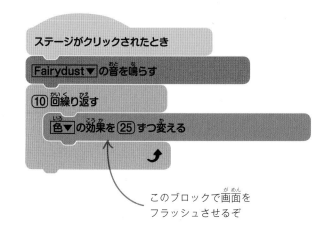

このブロックで画面を
フラッシュさせるぞ

4 ネコのスプライトをステージ左上にドラッグしてから、スプライト用に下のコードを作ってあげよう。

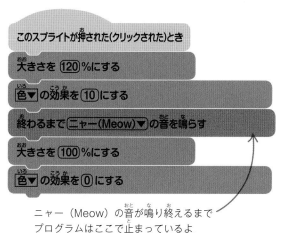

ニャー（Meow）の音が鳴り終えるまで
プログラムはここで止まっているよ

5 ネコをクリックしてみよう。大きくなって黄色い色になり、ニャーと鳴くね。それからもとにもどるぞ。

ネコのサイズと色が変わるよ

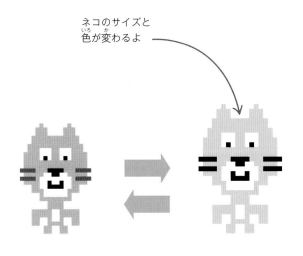

■■■ **うまくなるヒント**

音のブロック

「音を鳴らす」ブロックは2種類あるね。「〜の音を鳴らす」ブロックを使うと、音が鳴り始めるとすぐに次のブロックが実行される。音が鳴ると同時にスプライトを動かせるから、アニメーションを作りたいときには便利なブロックだ。これに対して「終わるまで」ということばが入っているブロックを使うと、音が鳴り終えてから次のブロックが実行されるようになる。こちらは、例えば音が鳴っている間は別のコスチュームにしたりサイズを変えたりしたいときに利用できるね。

> ニャー（Meow）▼の音を鳴らす

> 終わるまでニャー（Meow）▼の音を鳴らす

スプライトが大さわぎ！

それでは他のスプライトとコードを用意していくよ。ぴったりな音がセットされているスプライトもあるけれど、音が用意されていないものもある。その場合はコードを作る前に音ライブラリーから選んでおこう。コードを作り終えたらスプライトをステージの好きな場所に置いて、試しにコードを実行してみよう。

6

Duck

笑うアヒル

> このスプライトが押されたとき
> 5回繰り返す
> 　10歩動かす
> 　終わるまでduck▼の音を鳴らす
> 　-10歩動かす
> 　0.1歩動かす

アヒルが声を上げて体を5回動かすよ

クワッ！

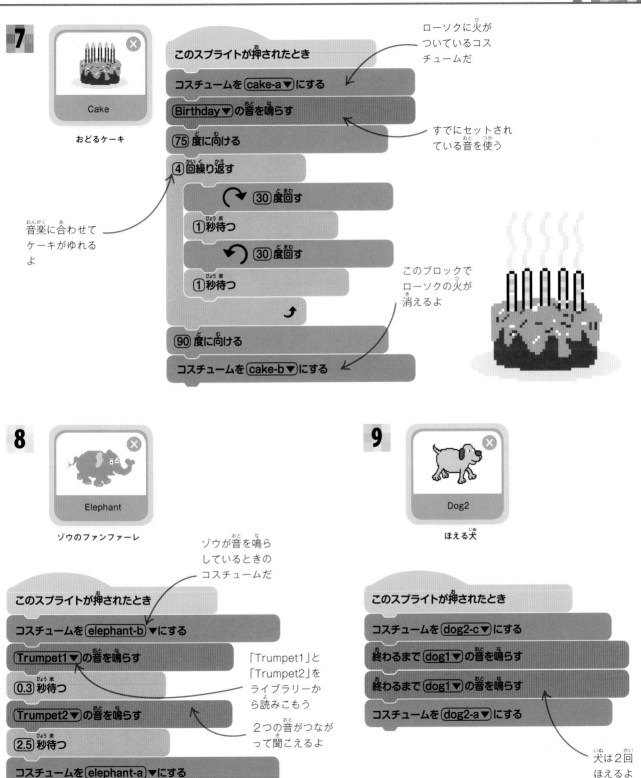

7

Cake
おどるケーキ

ローソクに火がついているコスチュームだ

このスプライトが押されたとき
コスチュームを〔cake-a▼〕にする
〔Birthday▼〕の音を鳴らす
すでにセットされている音を使う
〔75〕度に向ける
〔4〕回繰り返す
　　↻〔30〕度回す
　　〔1〕秒待つ
　　↺〔30〕度回す
　　〔1〕秒待つ
音楽に合わせてケーキがゆれるよ
〔90〕度に向ける
コスチュームを〔cake-b▼〕にする
このブロックでローソクの火が消えるよ

8

Elephant
ゾウのファンファーレ

ゾウが音を鳴らしているときのコスチュームだ

このスプライトが押されたとき
コスチュームを〔elephant-b▼〕にする
〔Trumpet1▼〕の音を鳴らす
〔0.3〕秒待つ
〔Trumpet2▼〕の音を鳴らす
〔2.5〕秒待つ
コスチュームを〔elephant-a▼〕にする

「Trumpet1」と「Trumpet2」をライブラリーから読みこもう
2つの音がつながって聞こえるよ

9

Dog2
ほえる犬

このスプライトが押されたとき
コスチュームを〔dog2-c▼〕にする
終わるまで〔dog1▼〕の音を鳴らす
終わるまで〔dog1▼〕の音を鳴らす
コスチュームを〔dog2-a▼〕にする

犬は2回ほえるよ

10

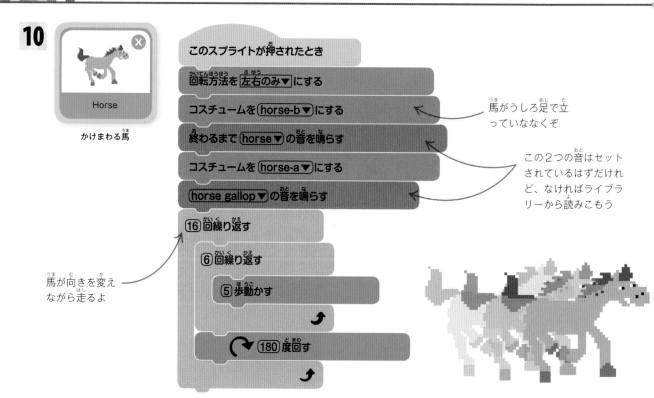

Horse

かけまわる馬

このスプライトが押されたとき

回転方法を 左右のみ▼ にする

コスチュームを horse-b▼ にする

終わるまで horse▼ の音を鳴らす

コスチュームを horse-a▼ にする

horse gallop▼ の音を鳴らす

16 回繰り返す

　6 回繰り返す

　　5 歩動かす

　180 度回す

馬がうしろ足で立っていななくぞ

この2つの音はセットされているはずだけれど、なければライブラリーから読みこもう

馬が向きを変えながら走るよ

11

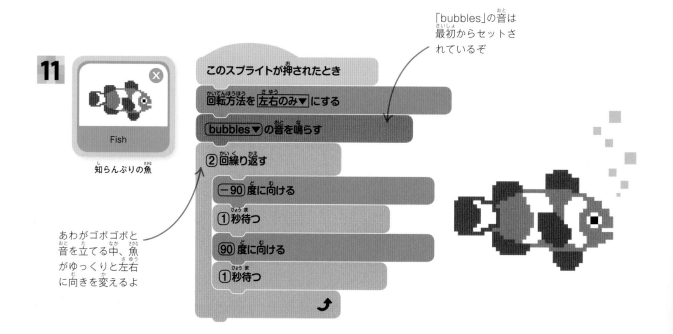

Fish

知らんぷりの魚

このスプライトが押されたとき

回転方法を 左右のみ▼ にする

bubbles▼ の音を鳴らす

2 回繰り返す

　−90 度に向ける

　1 秒待つ

　90 度に向ける

　1 秒待つ

「bubbles」の音は最初からセットされているぞ

あわがゴボゴボと音を立てる中、魚がゆっくりと左右に向きを変えるよ

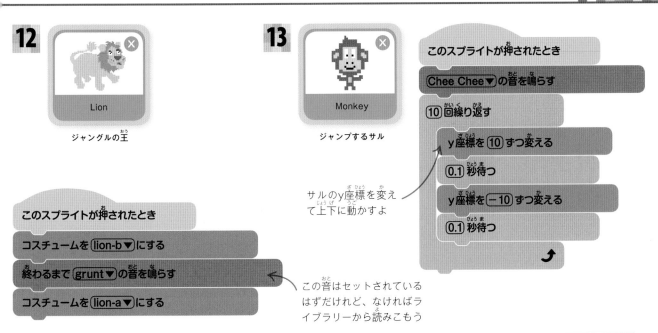

12 Lion
ジャングルの王

13 Monkey
ジャンプするサル

このスプライトが押されたとき

Chee Chee▼ の音を鳴らす

10 回繰り返す

　y座標を 10 ずつ変える

　0.1 秒待つ

　y座標を −10 ずつ変える

　0.1 秒待つ

サルのy座標を変えて上下に動かすよ

このスプライトが押されたとき

コスチュームを lion-b▼ にする

終わるまで grunt▼ の音を鳴らす

コスチュームを lion-a▼ にする

この音はセットされているはずだけれど、なければライブラリーから読みこもう

チーズスナック

最後のスプライトはおいしそうなチーズスナックだ。ボウルに山もりになっているね。ちょっと手を加えて、ボウルをクリックすると中身がなくなるようにしよう。空のボウルのスプライトがないから、ペイントエディターでかいてしまうよ。では、作り方を説明するぞ。

14 スプライトライブラリーから「Cheesy Puffs」を読みこむ。コスチュームタブをクリックするとコスチュームが１つだけ表示されるから、その上で右クリック（またはCtrlかShiftキーを押しながらクリック）し、メニューの「複製」を選ぼう。

Cheesy puffs
88×58
複製
書き出し

15 複製したコスチューム「cheesy puffs2」を選ぶ。ペイントエディターで白かクリーム色を指定し、「円」ツールを使って、ボウルではなくチーズスナックの部分をおおうように「だ円」をかこう。チーズスナックが少し残ってしまった場合は、「消しゴム」ツールで消しておいてね。

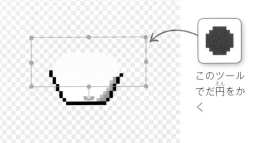

このツールでだ円をかく

16 ブロックパレットの上の音タブをクリックして、ライブラリーから「Chomp」を読みこんでね。それから下のコードを作るんだ。

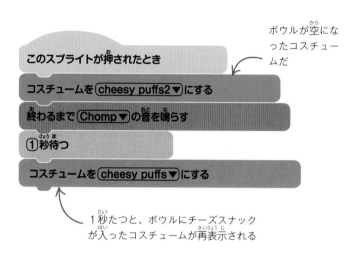

ボウルが空になったコスチュームだ

1秒たつと、ボウルにチーズスナックが入ったコスチュームが再表示される

17 ステージのスプライトをあちこちに動かして、一番しっくりする位置に置こう。それからプロジェクトを試しに実行するけれど、最初に全画面表示のボタンを押しておく。全画面表示なら、スプライトをクリックするとき、まちがえて位置を動かしてしまわないですむ。このプロジェクトでは緑の旗を押す必要はない。スプライトをクリックするだけで動作するぞ。

改造してみよう

今回はスプライトごとに小さなプロジェクトを1つ作っているようなものだ。だからコードを新しいスプライト用に複製したり、アニメーションのしかたや音を変えたりといった改造がしやすい。ライブラリーをさがせば、使いたくなるスプライトや音が見つかるかもしれないぞ。自作のスプライトや録音した音を使うこともできるよ。

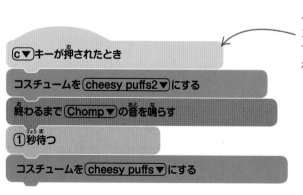

ヘッダーブロックを変えて、スプライトをクリックするのではなくキーを押せばコードが実行されるようにする

◀**動物ピアノ**
小さい子が遊べるよう、マウスのクリックではなくキーボードのキーでアニメーションを動かし音を鳴らすようにもできるね。コードを変えれば、キーボードで楽器のように音を鳴らせるぞ。どのキーを押せば動くのかわからないようにしておけば、「正しいキーをさがす」ゲームになるね。

▶音を録音する

コンピューターにマイクロフォンがついているなら、録音した音をプロジェクトで使えるよ。例えばライオンのほえ方をもっとはく力のあるものにしたいなら、まずライオンのスプライトを選ぼう。そして音タブをクリックしてから、音のメニューにあるマイクのボタンを押す。オレンジ色の円を押せば録音が始まり、四角を押せば録音が止まるよ。

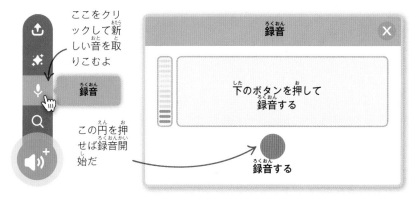

ここをクリックして新しい音を取りこむよ

この円を押せば録音開始だ

録音する

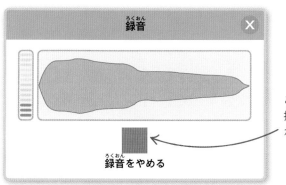

この四角を押せば録音が止まる

録音をやめる

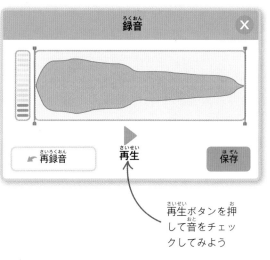

再生ボタンを押して音をチェックしてみよう

▼音の編集

スクラッチなら録音やアップロードした音をかんたんに編集できるよ。音タブをクリックしてリストから編集したい音を選ぶ。再生したときの音の大きさがピンク色の図で表示されるぞ。手を入れたい部分を選んでからコピーや削除のツールを使おう。下側にはいろいろな効果をつけるためのボタンが並んでいるね。

編集したい部分を選ぶと強調表示される

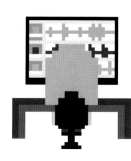

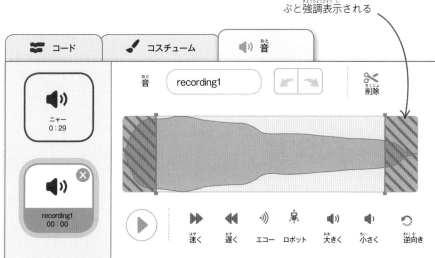

ドラム

コンピューターのキーボードをドラムセットにしてしまおう。好きなことば（アルファベット）を入力すると、スクラッチがドラムの音に変えて鳴らし続けてくれる。シンバル、ボンゴ、バスドラムなど楽器は全部で18種類だ。

しくみ

プロジェクトを実行すると、ネコが文字列をテキストボックスに入力するよう求めてくる。何かを入力してエンターキーを押すと、コードが1文字ずつ決まった音に変え、そのフレーズをくり返しえんそうするよ。ステージには色のついたドラムが並べられ、音を出したドラムが光るようになっている。ネコも拍子を取ってくれるよ。

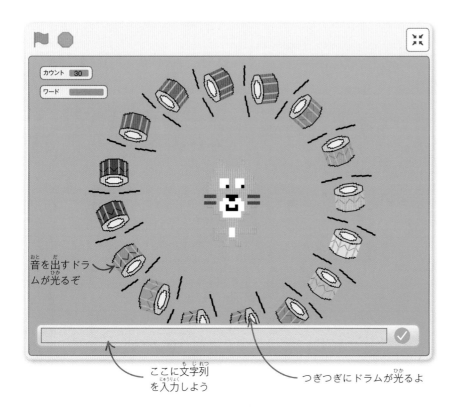

音を出すドラムが光るぞ

ここに文字列を入力しよう

つぎつぎにドラムが光るよ

▼スクラッチのドラムセット

コードはアルファベットをドラムの音に変えるけれど、アルファベットは26文字でスクラッチのドラムの音は18しかない。そのため2つの文字が同じドラムを鳴らすこともあるんだ。

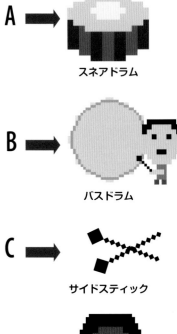

A ➡ スネアドラム

B ➡ バスドラム

C ➡ サイドスティック

D ➡ シンバル

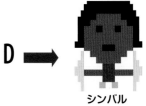

おどるネコ

プロジェクトを楽しくするため、ネコがダンスし、ドラムのえんそうに合わせて文字をシャウトする（さけぶ）ようにしよう。下の説明をよく読んで、ドラムをえんそうしネコを動かすためのブロックを自作しよう。

A,B,C,D...

1 新しいプロジェクトを始めるけれど、ネコのスプライトはそのままにしておこう。背景メニューの筆のボタンを押し、クールな色を指定してから「塗りつぶし」ツールで背景をぬりつぶしてしまう。ペインティングエリア左下の表示を「ベクターに変換」にしておくのをわすれないでね。

ここをクリックしてペイントエディターを開く

描く

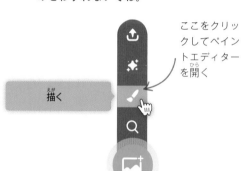

2 ネコのスプライトを選び、ブロックパレットの「変数」を押そう。そして「カウント」と「ワード」の2つの変数を作るんだ。チェックボックスのチェックはそのままにして、ステージに値が表示されるようにしよう。

変数を作るにはここをクリックする

変数を作る

☑ カウント
☐ 変数
☑ ワード

このオプションを選ぼう

3 ブロックパレットの「ブロック定義」を選び、「ドラムえんそう」という新しいブロックを作るよ。このブロックで実行するコードは、ドラムを鳴らすと同時にネコに文字をさけばせるんだ。でも最初は、毎回同じドラムの音を鳴らすブロックとして作ってみよう。あとでいろいろとコードを足していくよ。

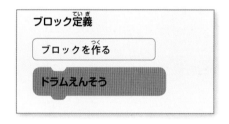

ブロック定義

ブロックを作る

ドラムえんそう

4 ブロックパレットの新しいブロックの上で右クリック（またはCtrlかShiftキーを押しながらクリック）し「編集」を選ぶ。ドラムの音を指定する文字を、ブロックに引数として渡せるようにする。

「文字」は入力する引数の名前だ。引数はブロックに渡す値のことだよ

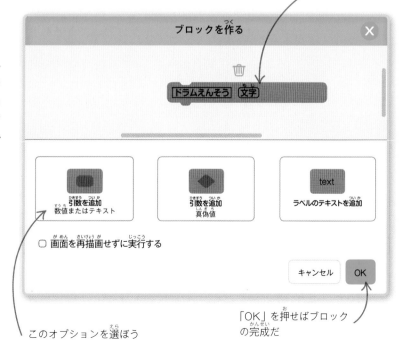

ブロックを作る　✕

ドラムえんそう　文字

引数を追加
数値またはテキスト

引数を追加
真偽値

text
ラベルのテキストを追加

☐ 画面を再描画せずに実行する

キャンセル　OK

「OK」を押せばブロックの完成だ

5 続いて「定義　ドラムえんそう」のヘッダーブロックのあとに、下のようにコードをつなげていこう。今のところネコに文字をさけばせ、いつも同じドラムの音（スネアドラム）を鳴らすだけだけれど、あとでコードを追加してドラムの種類を増やすよ。ブロックパレット左下の「拡張機能を追加」を押して「音楽」を選ぶ。これでドラムのブロックが使えるようになるぞ。

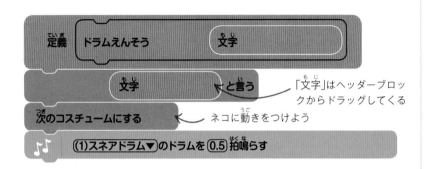

「文字」はヘッダーブロックからドラッグしてくる

ネコに動きをつけよう

ことば

文字列

ことばや文字が並んだものを、プログラマーは文字列と呼んでいる。ネックレスのビーズのように文字がつながっていると考えるんだ。

6 プレイヤーにキーボードから文字列を入力してもらうためのコードを作ろう。このコードは入力された文字列から1文字ずつ取り出し、「ドラムえんそう」ブロックを使ってネコに渡すんだ。「ドラムえんそう」に渡された文字は、ピンク色の「文字」ブロックに入るよ。

A, B, C, D, E...

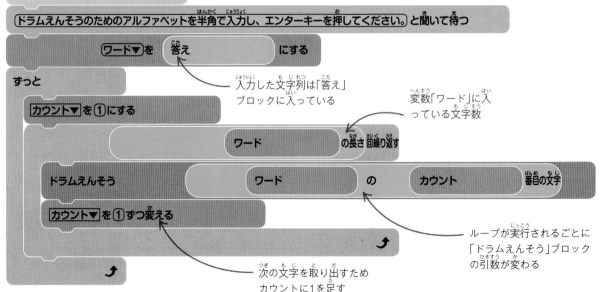

入力した文字列は「答え」ブロックに入っている

変数「ワード」に入っている文字数

ループが実行されるごとに「ドラムえんそう」ブロックの引数が変わる

次の文字を取り出すためカウントに1を足す

7 プロジェクトを実行しよう。「Scratch」と入力してエンターキーを押すよ。ネコがドラムのビートに合わせて「Scratch」を1文字ずつさけぶね。

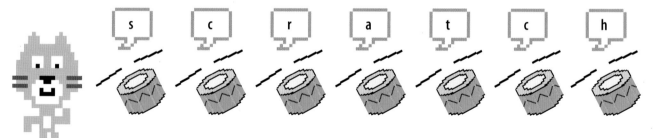

文字でドラムを変える

文字によって特定のドラムが鳴るようにコードを変えよう。ただしスクラッチが持つドラムの音は18種類だけだから、いくつかのドラムには右の図のように2文字がわり当てられる。スペースやピリオドなどがあればドラムを鳴らさず少し休む。スクラッチは大文字と小文字（Aとa）のちがいは無視し、同じ文字としてあつかうよ。

(1)スネアドラム▼ のドラムを 0.25 拍鳴らす

スクラッチの「〜のドラムを〜拍鳴らす」ブロックには18種類の音がセットされているよ

✓ (1)スネアドラム	**a, s**
(2)バスドラム	**b, t**
(3)サイドスティック	**c, u**
(4)クラッシュシンバル	**d, v**
(5)オープンハイハット	**e, w**
(6)クローズハイハット	**f, x**
(7)タンバリン	**g, y**
(8)手拍子	**h, z**
(9)クラーベ	**i**
(10)ウッドブロック	**j**
(11)カウベル	**k**
(12)トライアングル	**l**
(13)ボンゴ	**m**
(14)コンガ	**n**
(15)カバサ	**o**
(16)ギロ	**p**
(17)ビブラスラップ	**q**
(18)クイーカ	**r**

8 まず新しい変数を4つ作るよ。アルファベット26文字を順に入れておく「アルファベット」、プレイヤーが入力した文字の一つ一つがアルファベットの何番目（1から26）かを示す「アルファベットカウント」、スクラッチで使えるドラムの音がいくつあるかを示す「ドラムの数」、次に鳴らすドラムの番号を入れておく「選ばれたドラム」だ。

チェックボックスのチェックは外し、ステージに表示されないようにする

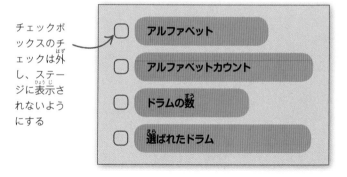

9 メインのコードに右の３つのコードを追加しよう。変数「アルファベット」と「ドラムの数」に値をセットし、ドラムをセットするためのメッセージ「ドラムをセットする」を送るためのものだ。このメッセージはあとで使うよ。

スクラッチには18種類のドラムの音がある

アルファベットを順番に入力だ

```
ドラムの数▼ を 18 にする
アルファベット▼ を abcdefghijklmnopqrstuvwxyz にする
ドラムをセットする▼ を送る
```

メニューを開いて新しいメッセージ「ドラムをセットする」を作ろう

```
緑の旗 🏴 が押されたとき
ドラムえんそうのためのアルファベットを半角で入力し、エンターキーを押してください。 と聞いて待つ
    ワード▼ を 答え にする
ずっと
    カウント▼ を 1 にする
            ワード の 長さ 回繰り返す
    ドラムえんそう        ワード の カウント 番目の文字
    カウント▼ を 1 ずつ変える
```

10 「ドラムえんそう」の定義を変えよう。プレイヤーが入力したアルファベットを番号に置きかえ、その番号をもとにドラムの音を鳴らすんだ。もしドラムの音が決まらないときは、決められた拍数だけ休むようになっている。

```
定義  ドラムえんそう    文字
          文字        と言う
次のコスチュームにする
♪ (1)スネアドラム▼ のドラムを (0.5) 拍鳴らす ✕
```

このブロックは削除する

1番目つまり「a」から始まるよ

受け取った文字がアルファベットの中にあれば番号に置きかえる。ループを利用してチェックだ

番号が大きすぎるときは、番号をドラムの数より小さくしよう

```
選ばれたドラム▼ を 0 にする
アルファベットカウント▼ を 1 にする
        アルファベット の 長さ 回繰り返す
もし    文字 = アルファベット の アルファベットカウント 番目の文字  なら
        選ばれたドラム▼ を アルファベットカウント にする
        もし 選ばれたドラム > ドラムの数  なら
            選ばれたドラム▼ を 選ばれたドラム － ドラムの数 にする
        ♪ 選ばれたドラム のドラムを (0.5) 拍鳴らす
    アルファベットカウント▼ を 1 ずつ変える
もし 選ばれたドラム =0  なら
    ♪ (0.25) 拍休む
```

選ばれたドラムの音を鳴らす

変数「アルファベット」の中の次の文字を指すようにする

ドラムの音が決まらなかったときは少しお休みだ

11 プロジェクトを実行しよう。例えば「aaaa ababababab」というように入力してみよう。クールなドラムビートになるかな。スペースやピリオドなどで決まった拍数の休みを入れられるよ。

ドラムを光らせる

見た目をもっとよくするため、カラフルなドラムのクローンを18個作って円をかくように並べよう。それぞれのドラムに音をわり当てておいて、音が鳴るときにドラムを光らせるぞ。

12 スプライトリストでスプライトのボタンを押し、ライブラリーで「Drum」を選ぶ。名前は「ドラム」に変えよう。

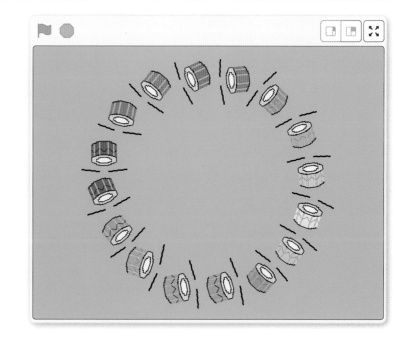

13 「ドラム番号」という変数を作るけれど、オプションは「このスプライトのみ」を選んでおこう。これでクローン一つ一つが変数のコピーを持つことになる。この変数にはクローンごとにちがう番号をセットしておき、正しいタイミングでドラムを光らせるのに利用するよ。チェックボックスのチェックは外して、ステージに表示されないようにしよう。

こちらのオプションを選ばないとうまく動かないぞ

14 ドラムのスプライト用に下のコードを作るぞ。「ドラムをセットする」のメッセージを受け取ると、ステージにカラフルなドラムを円形に並べる。ドラムはすべてクローンで、それぞれに番号がつけられているよ。

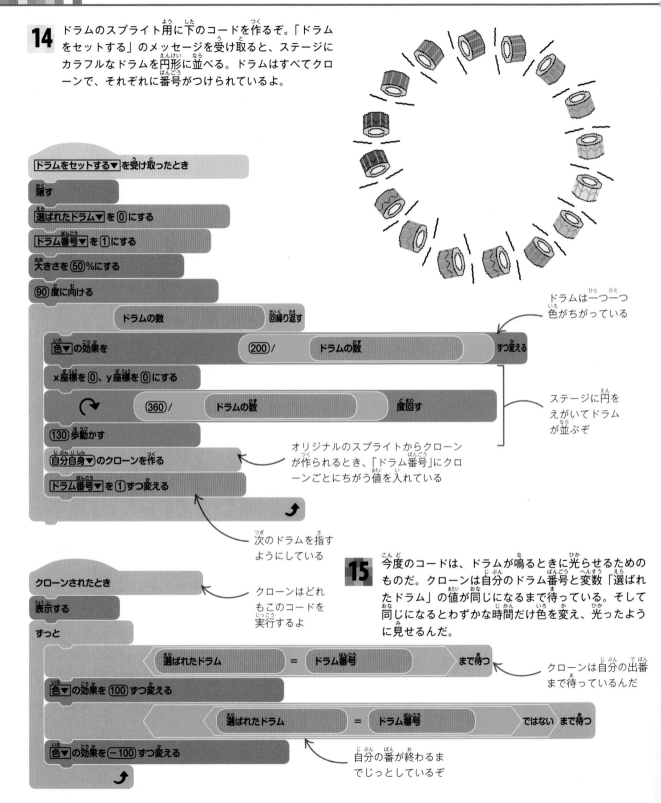

ドラムをセットする▼ を受け取ったとき

隠す

選ばれたドラム▼ を ⓪ にする

ドラム番号▼ を ① にする

大きさを ㊿ % にする

⑨⓪ 度に向ける

ドラムの数 回繰り返す

色▼ の効果を 200 / ドラムの数 ずつ変える

ドラムは一つ一つ色がちがっている

x座標を ⓪、y座標を ⓪ にする

↻ 360 / ドラムの数 度回す

ステージに円をえがいてドラムが並ぶぞ

130 歩動かす

自分自身▼ のクローンを作る

オリジナルのスプライトからクローンが作られるとき、「ドラム番号」にクローンごとにちがう値を入れている

ドラム番号▼ を ① ずつ変える

次のドラムを指すようにしている

15 今度のコードは、ドラムが鳴るときに光らせるためのものだ。クローンは自分のドラム番号と変数「選ばれたドラム」の値が同じになるまで待っている。そして同じになるとわずかな時間だけ色を変え、光ったように見せるんだ。

クローンされたとき

クローンはどれもこのコードを実行するよ

表示する

ずっと

選ばれたドラム = ドラム番号 まで待つ

クローンは自分の出番まで待っているんだ

色▼ の効果を 100 ずつ変える

選ばれたドラム = ドラム番号 ではない まで待つ

色▼ の効果を −100 ずつ変える

自分の番が終わるまでじっとしているぞ

16 プロジェクトを実行してみよう。ドラムが順に光るはずだね。試しに「abcdefghijklmnopqrstuvwxyz」と入力して、すべてのドラムが順に光るかチェックしよう。18番目の「r」をすぎたらどうなるかな？

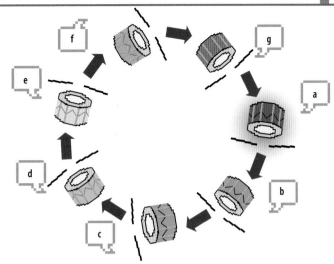

改造してみよう

文字や数の列を作っておいて、これで何かの動きをコントロールするのはとても便利なテクニックだ。自動ピアノや歌うアヒルにも利用できるし、文字列で命令を書き、画面の中のロボットを動かすという使い方もできるね。

■■ ためしてみよう

文字列でえんそうする

「〜のドラムを〜拍鳴らす」のブロックを「〜の音符を〜拍鳴らす」に変えれば、動物に歌わせることもできるぞ。アルファベットの1文字に1つの音をわり当てるなら、全部で26の音を使えることになるね。

▼テンポ

テンポは拍を打つ速さのことだ。テンポが速くなると一拍一拍の時間が短くなり、曲が速くえんそうされるようになる。スクラッチではテンポをかんたんにセットできる。ブロックパレットの「音楽」のブロックを使えばいい。まず変数「テンポ」のチェックボックスにチェックを入れ、値が画面に表示されるようにする。それからドラムのスプライトに下のコードブロックを追加すれば、矢印キーでテンポを変えられるぞ。スペースキーを押せばテンポはリセットされ1分間に60拍にもどるよ。

☑ 🎵 テンポ

```
スペース▼キーが押されたとき
🎵 テンポを(60)にする
```

```
上向き矢印▼キーが押されたとき
🎵 テンポを(2)ずつ変える
```

```
下向き矢印▼キーが押されたとき
🎵 テンポを(-2)ずつ変える
```

ふしぎな世界<ruby>世界<rt>せ か い</rt></ruby>

ふしぎな光の玉

このプロジェクトを実行するとステージ中央に十字が、そのまわりにピンク色の光の玉があらわれる。光の玉はチカチカと光るよ。十字をしばらくじっと見ていると、ピンク色の光の玉の間に緑色の玉が見えてくる。でもこの緑色の玉は現実には存在しないんだ。スクラッチが目のさっ覚を引き起こしたんだよ。

しくみ

円形に並んだ光の玉は、ステージにあらわれたり消えたりを順番にすばやくくり返している。そのため、光の玉が消えた何もないところが円にそって回るようになる。すると君の脳がまよってしまい、何もないところにちがう色の玉を入れてしまうんだ。そして本当は存在しない緑色の玉が見えてくる。さらに見続けるとピンクの玉がすべて消えてしまうけれど、これもさっ覚だぞ。

▲それぞれちがうクローン

ピンク色の玉はクローンだ。このプロジェクトのクローンは、オリジナルが持つ変数をコピーして自分用の変数を作っている。その変数に入れている番号で、どのクローンがステージから消えるかをコントロールしているんだ。

この十字を見続ければさっ覚が起きる

全画面モードで見るのがいいね

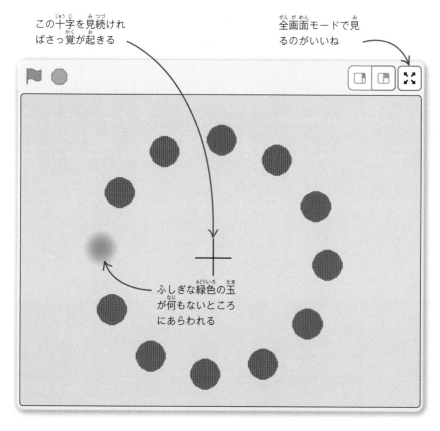

ふしぎな緑色の玉が何もないところにあらわれる

▲脳が作る色

このプロジェクトで利用しているさっ覚は「残像」というものだ。目を動かさずに何かを長い時間見つめていると、目の中で色を感じる部分がつかれてしまう。すると脳が色の調整を始めるんだ。本当の色がとつ然消え、別の色が残像として短い時間だけ見えるようになる。

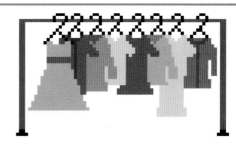

コスチュームをかこう

必要なスプライトはたった1つだよ。でも最初にコスチュームを自作しなければならないぞ。ピンク色の玉と黒色の十字だ。

1 新しいプロジェクトを開始してネコのスプライトを削除する。スプライトメニューの筆のボタンをクリックすれば新しいスプライトを作れるね。まず右のように明るいピンク色を指定しておこう。

きちんとさっ覚を起こさせるよう、色はこのとおりに指定しよう

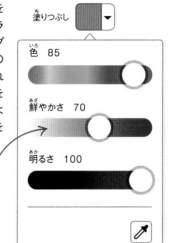

2 左下の表示を「ベクターに変換」にしてから「円」ツールを選ぶ。ペインティングエリアの上にあるオプションは「塗りつぶし」を選んでおこう。

このツールを選ぶ

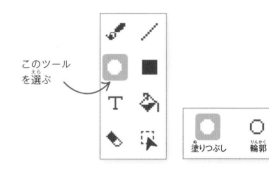

3 ペインティングエリアの真ん中近くをクリックし、Shiftキーを押したままマウスのポインターをドラッグしよう。ピンク色に塗りつぶされた円がかけるはずだ。ペインティングエリアの中央に十字のしるしがあるから、円はこの上に置くようにしてね。

Shiftキーを押してかけば、まんまるの円になるよ

4 今かいた玉がコスチュームリストに表示されたね。リストを見ると、コスチュームの名前の下に数が表示されている。これはコスチュームのサイズだ。今回は35×35がちょうどいいけれど、ちがうサイズでもかまわない。

この数はコスチュームのサイズだ

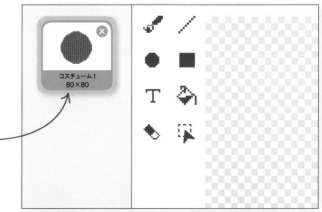

5 円のサイズが大きすぎるか小さすぎた場合は、円をかこむ青いわくについている丸い点をドラッグしてみよう。青いわくが消えているときは「選択」ツールで円をかこむように指定すればいい。このコスチュームの名前は「光の玉」にしよう。

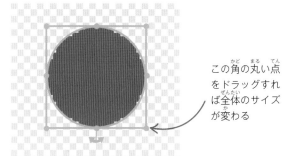

この角の丸い点をドラッグすれば全体のサイズが変わる

コスチュームの名前は「十字」にしよう

6 次にステージ中央に表示する黒い十字を作るよ。まずコスチュームメニューで筆のボタンをクリックし、新しいコスチュームをかけるようにする。左下の表示を「ベクターに変換」にしてから「線」ツールを使って十字をかくけれど、大きさはさっきかいた円より小さくしよう。Shiftキーを押しながらドラッグすれば、まっすぐな線がかけるよ。

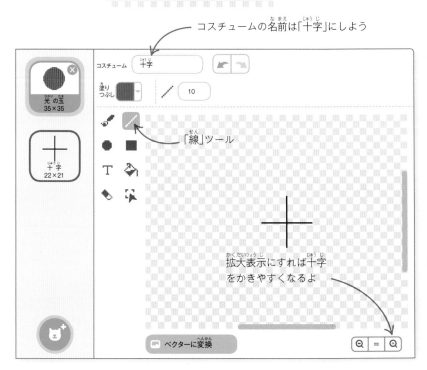

「線」ツール

拡大表示にすれば十字をかきやすくなるよ

クローンを円形に並べる

背景を塗りつぶしてから、クローンを円形に並べていくよ。それぞれのクローンにコードで番号をふり、ステージから消すときにコントロールしやすくするぞ。

7 プロジェクトにふさわしい背景をかこう。スクラッチのウィンドウ右下にある背景メニューで筆のボタンをクリックだ。

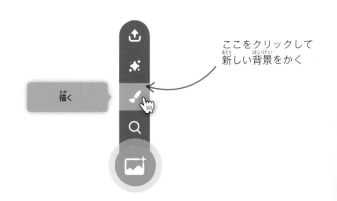

ここをクリックして新しい背景をかく

8　背景で使うグレーの色を指定するよ。ちょうどよい明るさにしないとさっ覚がうまく起きないので注意が必要だ。「塗りつぶし」ツールを選んで、ペインティングエリアのどこかをクリックしよう。

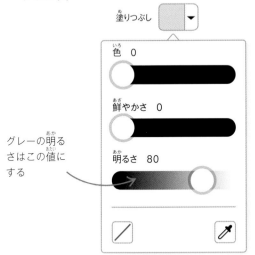

塗りつぶし

色　0

鮮やかさ　0

グレーの明るさはこの値にする

明るさ　80

9　スプライトをクリックしてからコードタブを選ぶ。ブロックパレットで「変数」を選んでから「変数を作る」をクリックしよう。作る変数の名前は「番号」で、オプションは必ず「このスプライトのみ」にしてね。こうすることで、それぞれのクローン用に変数が複製され、その変数の中にクローンを区別するための番号を入れておける。ステージに表示されないよう、変数のチェックボックスのチェックは外しておこう。

新しい変数

新しい変数名:

番号

「番号」と入力する

○ すべてのスプライト用　● このスプライトのみ

キャンセル　OK

オプションはこちらを選ぶ

10　それでは図のようにコードを作ろう。12個のクローン（ピンク色の光の玉）を作り、円形に並べるコードだ。クローンが作られるときにオリジナルが持つ変数「番号」がコピーされ、一つ一つにちがう値が入れられる。これでクローンすべてにちがう番号がつけられることになるね。

「～回繰り返す」ループの実行回数はクローンの個数と同じだ

ここで光の玉のクローンが作られる

クローンが別々の番号を持っていることを示すため、今だけこのコードブロックを使ってみよう。あとで削除するよ

オリジナルのスプライトはもとの位置にもどるよ

```
クローンされたとき

番号  と言う
```

```
緑の旗 🏳 が押されたとき

コスチュームを 光の玉▼ にする

x座標を 0、y座標を 0 にする

0 度に向ける

番号▼ を 0 にする

12 回繰り返す

  130 歩動かす

  自分自身▼ のクローンを作る

  －130 歩動かす

  ↻ 30 度回す

  番号▼ を 1 ずつ変える
```

円形に並ぶ12個の「光の玉」の中心にオリジナルのスプライトが置かれるぞ

オリジナルのスプライトがクローンを置く位置まで進む

クローンにはそれぞれちがう番号がつけられる

11 プロジェクトを実行して、クローンが自分の「番号」を言うのを見てみよう。番号は0から11まで順についていて、同じ番号を言うクローンはいないはずだ。

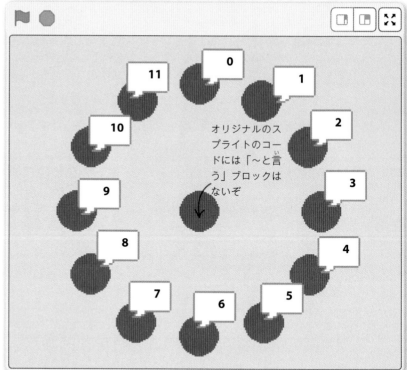

オリジナルのスプライトのコードには「〜と言う」ブロックはないぞ

12 さっ覚を起こさせるときに番号を言う必要はないから、右の小さなコードブロックはここで削除してしまおう。

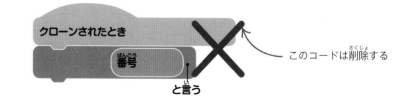

このコードは削除する

と言う

さっ覚を起こさせる

ここからはクローンを順番にかくすためのコードを作っていこう。どのクローンをステージから消すかを示すため、新しい変数「消える光の玉」を作るよ。

13 ブロックパレットでオレンジ色の「変数」ボタンをクリックし、新しい変数を作ろう。変数の名前は「消える光の玉」だ。ブロックパレットのチェックボックスのチェックは外して、変数の値がステージに表示されないようにしてね。

新しい変数

新しい変数名:

消える光の玉

● すべてのスプライト用　○ このスプライトのみ

キャンセル　OK

こちらのオプションを選ぶよ

14 スプライトのコードに下のようにブロックを追加しよう。でもまだ実行はしないでね。

15 スプライト用に下のコードも作ろう。すべてのクローンがこのコードを実行するよ。自分の「番号」と変数「消える光の玉」が同じになったクローンだけが、ステージからすがたを消す。変数「消える光の玉」の値は1ずつ増えていくので、クローンは順番にステージから消えるんだ。

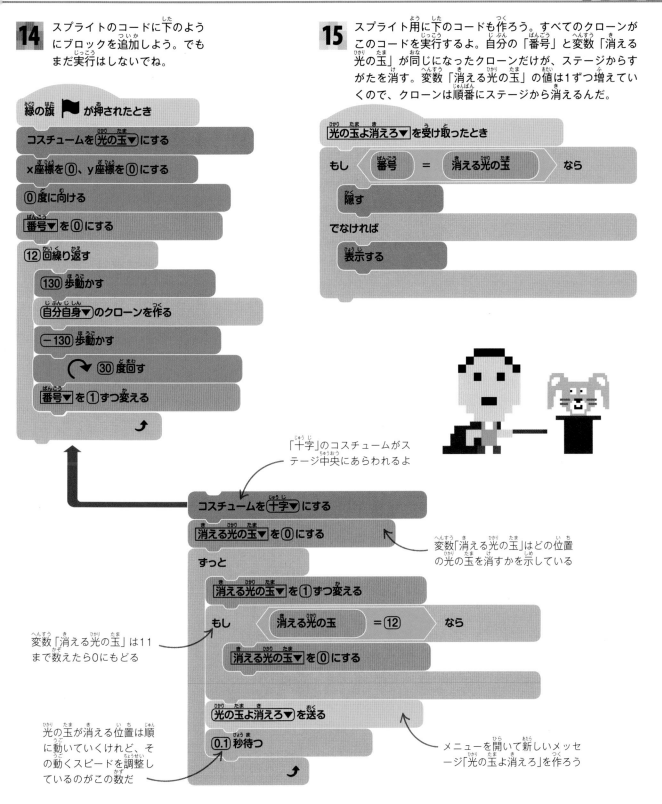

緑の旗 🏴 が押されたとき

コスチュームを 光の玉▼ にする

x座標を ⓪ 、y座標を ⓪ にする

⓪ 度に向ける

番号▼ を ⓪ にする

⑫ 回繰り返す

　130 歩動かす

　自分自身▼ のクローンを作る

　－130 歩動かす

　↻ 30 度回す

　番号▼ を ① ずつ変える

光の玉よ消えろ▼ を受け取ったとき

もし 番号 ＝ 消える光の玉 なら

　隠す

でなければ

　表示する

「十字」のコスチュームがステージ中央にあらわれるよ

コスチュームを 十字▼ にする

消える光の玉▼ を ⓪ にする

変数「消える光の玉」はどの位置の光の玉を消すかを示している

ずっと

　消える光の玉▼ を ① ずつ変える

　もし 消える光の玉 ＝⑫ なら

変数「消える光の玉」は11まで数えたら0にもどる

　　消える光の玉▼ を ⓪ にする

　光の玉よ消えろ▼ を送る

　0.1 秒待つ

光の玉が消える位置は順に動いていくけれど、その動くスピードを調整しているのがこの数だ

メニューを開いて新しいメッセージ「光の玉よ消えろ」を作ろう

16 これで完成だ。プロジェクトを実行するよ。光の玉が円にそって順に消えるはずだ。ステージを全画面表示にして、中央の十字をじっと見てみよう。しばらくすると、光の玉が消えた位置に緑色の玉が見えるようになる。さらに十字を見続けると、緑色の玉がピンク色の玉を消し始める。十字からいったん目をはなすと、緑色の玉が見えたところには何も見えなくなるよ。

さっ覚を起こさせるには十字を見続ける必要がある

十字ではなく緑色の玉を目で追うと、玉は消えてしまうよ

見える！見える！

うまくなるヒント

もし～なら…でなければ

質問の答えによって特定のブロックを実行するかとばすかを決めるとき、「もし～なら」ブロックはとても便利だ。でも答えがyes（真）のときはこちら、no（偽）のときはあちらというように、答えによって2つの処理のどちらかを実行させるときはどうすればいいかな？「もし～なら」ブロックを2つ使ってもいいね。でもこのような問題がよく起きるので、プログラマーは別の解決法を生み出したんだ。それが「もし～なら…でなければ」ブロックだ。このブロックには口が2つついているから、2組のブロックを中に入れられる。上の口に入れたものは答えがyesのとき、下の口に入れたものはnoのときに実行されるよ。

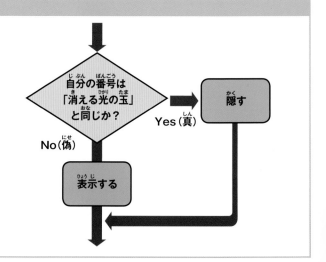

自分の番号は「消える光の玉」と同じか？

Yes（真）　隠す

No（偽）

表示する

改造してみよう

スクラッチを使って、このふしぎなさっ覚をさらに研究してみよう。光の玉と背景の色を変えたり、光の玉が順に消えていく速さを変えたりしてもさっ覚を引き起こせるかな？　光の玉を増やすか、一度に消える光の玉を2つ以上にしたらどうなるだろう？　実験のやり方はいくらでも考えられるね。プロジェクトのコピーを作ってから、コードをいろいろいじってみよう。

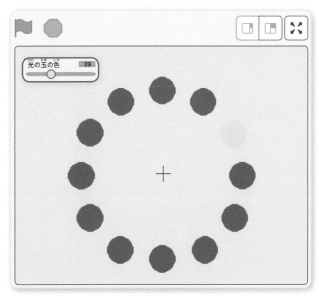

▶色を変える

「光の玉の色」という変数を作ってスライダーを表示し、「色の効果を～にする」ブロックを「～を受け取ったとき」というヘッダーブロックのすぐあとに追加する。プロジェクトを実行して、スライダーで色を変えてみよう。どの色がさっ覚を起こさせやすいかな？　緑色の玉のかわりに何色の玉が見えるようになるだろうか？

■ ■ ■　ためしてみよう

スピードアップ

「待ち時間」という変数を作って、光の玉が点めつするスピードをセットできるようにしてみよう。コードに右の2つのブロックを加える必要があるね。どこに入れればいいかわかるかな？　ステージに変数が表示されたら、その上で右クリック（またはCtrlかShiftキーを押しながらクリック）して「スライダー」を選ぼう。スライダーを右に動かして点めつスピードを遅くしても、さっ覚は起きるかな？

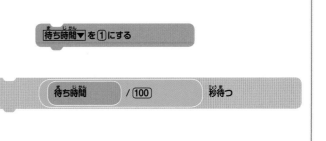

うず巻き模様

スクラッチのペンを使えば、画像にふしぎな効果をつけることができる。これからしょうかいするのはその1つの例で、カラフルなうず巻きが回転するよ。君のコンピューターにマイクロフォンがついているなら、うず巻きが音に反応するようにできるぞ。

マイクを使えば、音楽に合わせてうず巻きを動かせるわ！

しくみ

うず巻きにもいろいろな形があるけれど、このプロジェクトでは一番シンプルなうず巻きをかくよ。「1歩進んで右に10度回り、2歩進んで右に10度回り、3歩進んで右に10度回る」という感じだ。

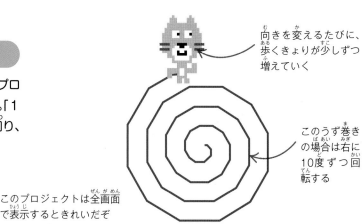

向きを変えるたびに、歩くきょりが少しずつ増えていく

このうず巻きの場合は右に10度ずつ回転する

このプロジェクトは全画面で表示するときれいだぞ

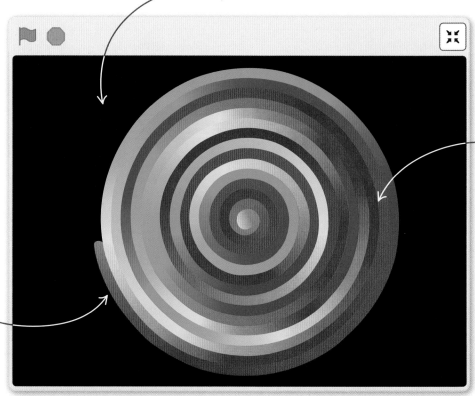

音の大きさを変えれば線の太さが変わるぞ

うず巻きはペンの機能でかくよ

うず巻きをかいてみる

このプロジェクトで習うのは、プレイヤーの操作にすばやく反応して図形をかく方法だ。スクラッチのペンを使うよ。順を追って説明していこう。まずはシンプルなうず巻きをかいてみる。これまでのプロジェクトでやったように、「拡張機能を追加」のボタンを押してペンを選んでね。

1 新しいプロジェクトを開始してネコのスプライトを削除する。それからスプライトメニューの筆を選ぶけれど、コスチュームはかかないぞ。ペンを使うためだけに作ったスプライトなので、表示したり動かしたりはしないんだ。名前は「うず巻き」に変えておこう。

2 うず巻きがよく目立つよう、ステージの色を黒にしておこう。背景メニューから筆のボタンを選んでペイントエディターを開く。左下の表示を「ベクターに変換」にしてから黒色を指定し、「塗りつぶし」ツールで黒一色の背景を作ろう。

3 うず巻きのスプライトを選んで「くり返し回数」、「線の長さ」、「線がのびる長さ」、「曲がる角度」、「スタート時の向き」の5つの変数を作るよ。チェックボックスのチェックは外して、ステージに変数が表示されないようにしてね。

スタート時の向き
最初のスプライトの向きを決める

線の長さ
うず巻きを作る直線の長さを示す

くり返し回数
合計何本の直線を引くかを示す

線がのびる長さ
次にかく直線をどれだけ長くするかを示す

曲がる角度
どれだけの角度で曲がるかを示す

4 今度はブロックを自作するぞ。「ブロック定義」を選んで「ブロックを作る」をクリックだ。

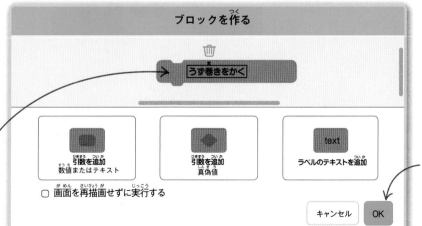

「うず巻きをかく」と入力する

「OK」をクリックすればブロックが作られるぞ

5 コードエリアに「うず巻きをかく」というヘッダーブロックがあらわれたはずだ。このヘッダーブロックの下のようにブロックをつなげよう。ブロックを読み通して、順に何をしているか考えてみてね。このブロックを起動するコードがまだないので、プロジェクトの実行はあとにしよう。

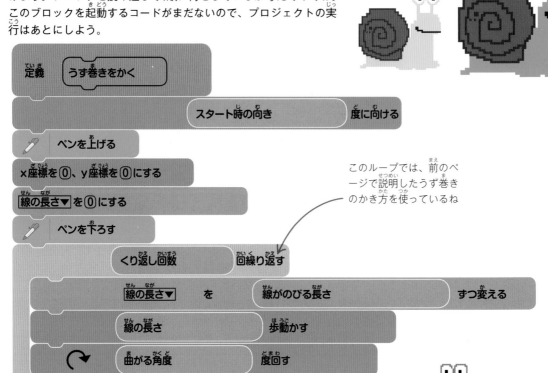

定義 うず巻きをかく

スタート時の向き 度に向ける

ペンを上げる

x座標を⓪、y座標を⓪にする

線の長さ▼ を⓪にする

ペンを下ろす

> このループでは、前のページで説明したうず巻きのかき方を使っているね

くり返し回数 回繰り返す

　線の長さ▼ を 線がのびる長さ ずつ変える

　線の長さ 歩動かす

　曲がる角度 度回す

ペンを上げる

6 メインのコードを加えよう。変数に値をセットして「うず巻きをかく」ブロックを起動するんだ。

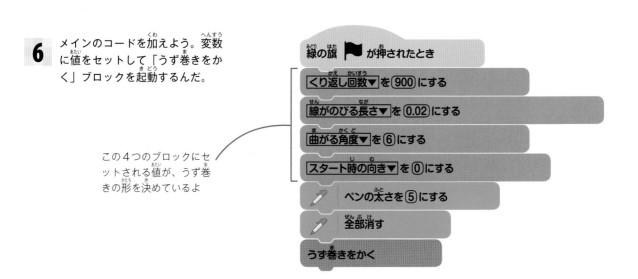

緑の旗 🚩 が押されたとき

くり返し回数▼ を⑨⓪⓪にする

線がのびる長さ▼ を⓪.⓪②にする

曲がる角度▼ を⑥にする

スタート時の向き▼ を⓪にする

ペンの太さを⑤にする

全部消す

うず巻きをかく

> この4つのブロックにセットされる値が、うず巻きの形を決めているよ

7 プロジェクトを実行してみよう。右のようなうず巻きがあらわれたかな。かき終えるのに30秒ぐらいかかるはずだ。

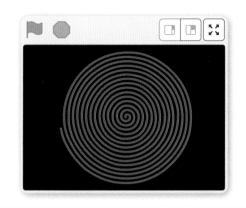

うず巻きを回転させる

うず巻きを回転させよう。スクラッチはうず巻きの位置を少し動かすたびに、うず巻き全体をかき直すよ。このかき直しをすばやく実行するには、ブロックをより速く実行するためのテクニックが必要だ。

8 今のコードでは、うず巻きをかくのに長い時間がかかってしまう。これは、新しい線をかくとき1本追加するだけでなく、それまでにかいた線すべてをかき直しているからだ。自作した「うず巻きをかく」ブロックで設定すれば、この「かき直し」をやめさせられる。右のように定義ブロックの上で右クリックして「編集」を選ぼう。

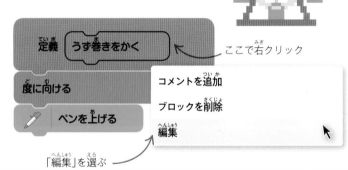

ここで右クリック

コメントを追加
ブロックを削除
編集

「編集」を選ぶ

9 「画面を再描画せずに実行する」のチェックボックスにチェックを入れよう。

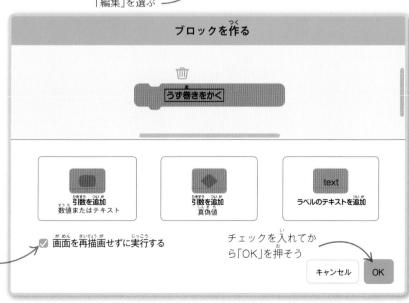

ここにチェックを入れれば画面表示が速くなる

チェックを入れてから「OK」を押そう

10 プロジェクトを実行すると、目にも止まらない速さでうず巻きがかかれるはずだ。では、かき直すときに位置を毎回変えてみよう。うず巻きが回転しているように見えるかな。新しい変数「回転スピード」を作り、チェックボックスのチェックは外しておく。メインのコードは下のように変えてね。

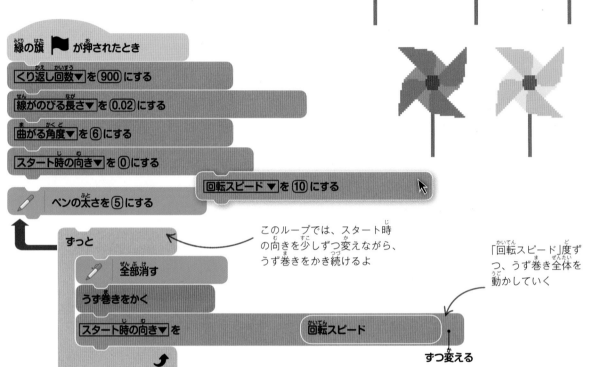

このループでは、スタート時の向きを少しずつ変えながら、うず巻きをかき続けるよ

「回転スピード」度ずつ、うず巻き全体を動かしていく

11 プロジェクトを実行して、うず巻きが回転するか見てみよう。全画面モードにすると、さいみん術のような効果が生まれるよ。うず巻きの中心をしばらくながめてから周囲の物に目を向けると、ちょっとの時間だけれど物が動いているように見えるんだ。

ここをクリックして全画面モードにしよう

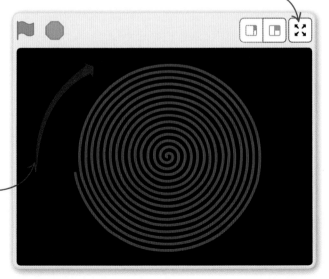

うず巻き全体が時計回りに回転する

カラフルにする

ペンの色を変えると、おもしろい効果が生まれるぞ。コードにかんたんな改造をすれば、右の図のようなうず巻きがあらわれるよ。

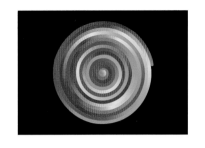

12 「色の変化」という変数を追加してから、ここで示すようにコードを改造するんだ。プロジェクトを実行すればカラフルなうず巻きがあらわれるよ。

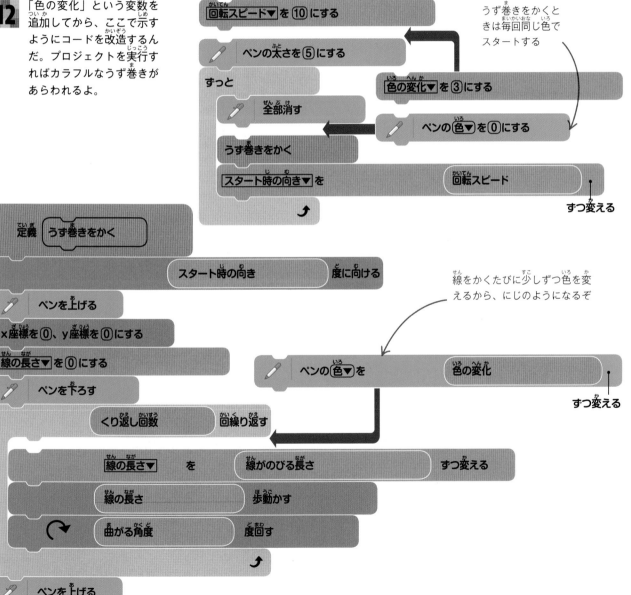

うず巻きをかくときは毎回同じ色でスタートする

回転スピード▼ を ⑩ にする

🖊 ペンの太さを⑤にする

ずっと

🖊 全部消す

色の変化▼ を ③ にする

🖊 ペンの色▼ を ⓪ にする

うず巻きをかく

スタート時の向き▼ を　　　回転スピード　　　ずつ変える

定義 うず巻きをかく

スタート時の向き　　　度に向ける

🖊 ペンを上げる

x座標を⓪、y座標を⓪にする

線の長さ▼ を⓪にする

🖊 ペンを下ろす

線をかくたびに少しずつ色を変えるから、にじのようになるぞ

🖊 ペンの色▼ を　　　色の変化　　　ずつ変える

くり返し回数　　　回繰り返す

線の長さ▼　　　を　　　線がのびる長さ　　　ずつ変える

線の長さ　　　歩動かす

↻ 曲がる角度　　　度回す

🖊 ペンを上げる

音楽に合わせる

コンピューターにマイクロフォンがついているなら、うず巻きを音や曲に反応させられるぞ。音が鳴ったかを調べたり、音の大きさ（音量）を調べたりする特別なブロックが必要だ。

13 「感度」と「音のレベル」という2つの変数を新しく作ろう。メインのコードを左のように変えてね。

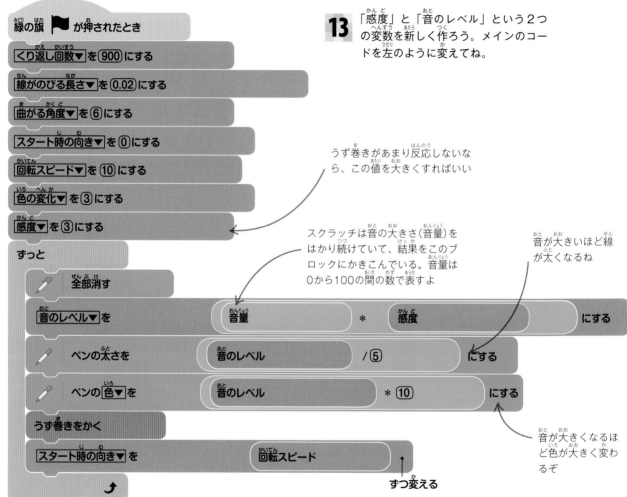

緑の旗 🚩 が押されたとき

くり返し回数▼ を 900 にする

線がのびる長さ▼ を 0.02 にする

曲がる角度▼ を 6 にする

スタート時の向き▼ を 0 にする

回転スピード▼ を 10 にする

色の変化▼ を 3 にする

感度▼ を 3 にする

ずっと

全部消す

音のレベル▼ を 音量 * 感度 にする

ペンの太さを 音のレベル / 5 にする

ペンの色▼ を 音のレベル * 10 にする

うず巻きをかく

スタート時の向き▼ を 回転スピード ずつ変える

うず巻きがあまり反応しないなら、この値を大きくすればいい

スクラッチは音の大きさ（音量）をはかり続けていて、結果をこのブロックにかきこんでいる。音量は0から100の間の数で表すよ

音が大きいほど線が太くなるね

音が大きくなるほど色が大きく変わるぞ

14 プロジェクトを実行してから、コンピューターの近くで音を鳴らすか歌ってみよう。スクラッチがマイクの使用許可を求めてきた場合は、許可を出してあげてね。うず巻きが音楽に合わせてダンスするぞ！

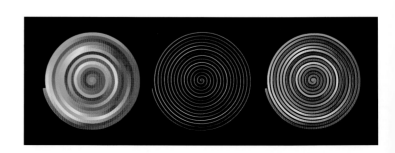

改造してみよう

コードで使っている数や変数の中身を、思い切って変えてみよう。何が起きるかな？ スライダーをつければ、変数の値を変える実験がかんたんにできるようになるよ。どんなうず巻きになるだろう？

▼スライダー

値を変える変数がステージ上に表示されているなら、その上で右クリックしてメニューからスライダーを選ぼう。プロジェクト実行中に変数の値を変えて実験できるようになるぞ。

▼お気に入りのうず巻き

スライダーを使って値を変えているうちに、お気に入りのうず巻きができるかもしれない。そうしたら、そのときの変数の値をメモしておこう。そして下のように、どれかのキーを押したら、それらの値が自動的にセットされるようにすればいい。

▼スライダーをかくす

下のようなコードブロックを作れば、キーを押してスライダーを表示したりかくしたりできる。これで、うず巻きを見るときにスライダーがじゃまをすることがなくなるね。

```
x▼ キーが押されたとき
くり返し回数▼ を 1200 にする
線がのびる長さ▼ を 0.01 にする
曲がる角度▼ を 4 にする
回転スピード▼ を 20 にする
色の変化▼ を 1 にする
```

```
h▼ キーが押されたとき
変数 色の変化▼ を隠す
変数 感度▼ を隠す
```

```
s▼ キーが押されたとき
変数 色の変化▼ を表示する
変数 感度▼ を表示する
```

■■■ ためしてみよう

音に反応させる

他のプロジェクトでも、スプライトが音に反応するとおもしろくなるよ。「音量」ブロックの前のチェックボックスにチェックを入れれば、ステージに音量が表示されるぞ。右のようなコードブロックをスプライトに加えたり、音を利用するブロックを自作したりするのもいいね。

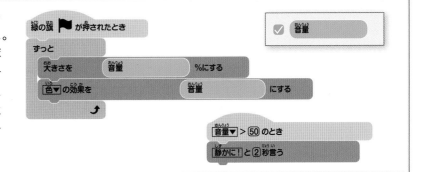

次はどうする？

次のレベル

ここまでスクラッチを学んできた君は、次のレベルに進めるだけの知識を身につけているはずだ。そこで、プログラミングのスキルをさらに上げるためのアドバイスをしておこう。自分でプロジェクトを作るときのヒントもしょうかいするよ。

いろいろなプロジェクトを見てみよう

スクラッチのウェブサイト（www.scratch.mit.edu）では他のユーザーの作品にふれたり、君の作品を公開したりできる。サイトの上の部分にあるメニューで「見る」をクリックすれば、他のユーザーが公開している作品が表示されるぞ。

スクラッチのウェブサイトではプロジェクトがたくさんしょうかいされている。ここをクリックして、けっ作をさがしに行こう

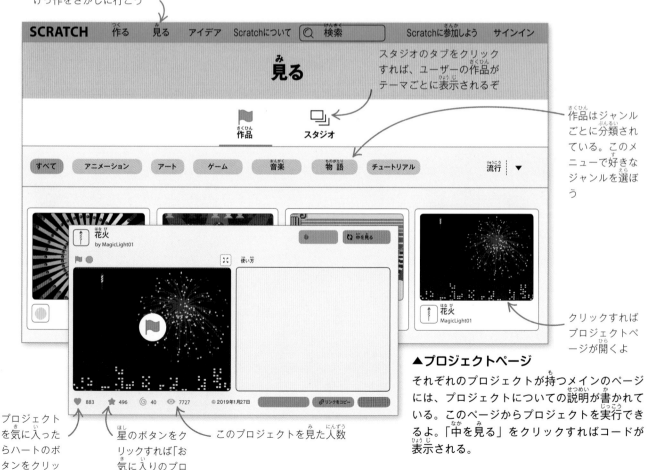

スタジオのタブをクリックすれば、ユーザーの作品がテーマごとに表示されるぞ

作品はジャンルごとに分類されている。このメニューで好きなジャンルを選ぼう

クリックすればプロジェクトページが開くよ

▲プロジェクトページ

それぞれのプロジェクトが持つメインのページには、プロジェクトについての説明が書かれている。このページからプロジェクトを実行できるよ。「中を見る」をクリックすればコードが表示される。

プロジェクトを気に入ったらハートのボタンをクリックだ

星のボタンをクリックすれば「お気に入りのプロジェクト」のリストに入れられる

このプロジェクトを見た人数

▶共有する

プロジェクトを他のユーザーと共有するには、プロジェクトを開き、上の方にある「共有する」ボタンをクリックする。君のプロジェクトがスクラッチのウェブサイトに表示され、プレイしてくれた人数もわかるようになる。他のユーザーにリスト登録してもらえるし、気に入ればハートマークを押してもらえるぞ。

自分だけのプロジェクトを作る

スクラッチは、プログラミングのアイデアを試すのにちょうどよい言語だ。新しいプロジェクトを始めよう！ マウスをフル活用してプログラミングだ！

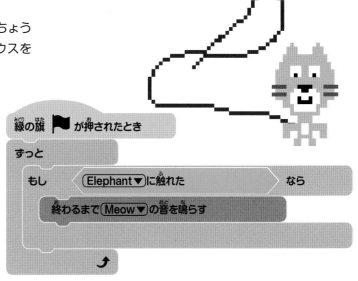

▶いたずらしてみる

スクラッチは実験をしやすい言語だ。好きなスプライトを加えて、右や下に示したようなコードブロックを作るだけでいい。ペンを使えるようにすれば、スプライトがループでどのように動くかをチェックできる。スライダーを追加して値をかんたんに変えられるようにすれば、変数をいじるとどうなるかがすぐにわかるよ。

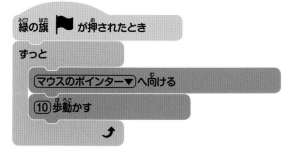

▼とにかく楽しもう！

プログラミングの楽しみはいくらでも広がるぞ。他のユーザーとプロジェクトを共有していっしょに取り組むと、よいコードを作るのにとても役立つ。プログラミング教室に入るのもいいね。スクラッチが好きな友だちとコーディングパーティーを開いてはどうかな。テーマを決めて、共同でプロジェクトを作るんだ。

▼他の言語を習う

プログラミングのスキルをさらにのばすため、他のプログラミング言語を習ってみよう！ パイソン (Python) はステップアップにちょうどよい言語だ。「もし〜なら」ブロックで判断をしたり、ループで処理をくり返したりと、スクラッチで学んだテクニックにはパイソンで使えるものが多くあるよ。

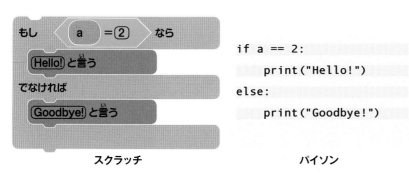

```python
if a == 2:
    print("Hello!")
else:
    print("Goodbye!")
```

スクラッチ　　　　　　　　パイソン

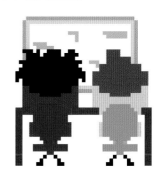

用語集

アニメーション
画像をすばやく連続して変え、動いているように見せる技術。

アルゴリズム
仕事をするための手順を1つ1つ並べたもの。コンピューターのプログラムはアルゴリズムに基づいて作られている。

イベント
キーが押されたり、マウスがクリックされるなど、プログラムが反応するできごと。

演算子
スクラッチでは緑色のブロックになっている。数の計算やデータのひかくをして結果を出すのに使われる。

オペレーティングシステム (OS)
コンピューターのすべてをコントロールするソフトウェア。Windows、macOS、Linuxなどがある。

関数
大きな作業の一部を行うための短いソースコード。プログラムの中で使われるプログラムと考えることもできる。プロシージャ、サブプログラム、サブルーチンとも呼ばれる。

グラデーション
ある色から別の色へとじょじょに変わっていくこと。美しい夕日に照らされた空がその一例である。

グラフィック
絵、アイコン、記号など、画面に表示されるもののうちテキストではないもの。

グローバル変数
同じプロジェクト内であれば、どのスプライトからも中身を変えられる変数。

クローン
スプライトのコピー。オリジナルのスプライトとはちがうコードや変数を使えるため、オリジナルとは別の働きができる。

コード
一番上のヘッダーブロックの下に命令を表すブロックがつながったもの。上から下へと順に実行される。

コスチューム
ステージ上でのスプライトの見た目。コスチュームをすばやく変えることでアニメーションを作れる。

サーバー
ファイルを保管し、ネットワークを通してアクセスできるようにしているコンピューター。

座標
ステージ上での位置を正かくに示すための2つ1組の数。ふつうは (x, y) のように書く。

サブプログラム (サブルーチン)
特定の処理のために実行されるプログラム。プログラムの中で呼び出される。プログラミング言語によっては関数やプロシージャとも呼ぶ。

GUI
グラフィカルユーザーインターフェース (GUI) は、ボタンやウィンドウなど、プログラムによって画面表示され、ユーザーと情報のやりとりをするためのもの。

実行する
プログラムを動かすこと。

シミュレーション
何かをできるだけリアルにまねること。天気のシミュレーターは風、雨、雪などの動きや働きを再現できる。

条件
プログラムの中で何かを判断するために使う。「正しい」か「まちがい」のどちらかになる。「論理式」を参照。

ステージ
スクラッチのユーザーインターフェースのうち、プログラムによってスプライトが動くウィンドウのようなエリア。

スプライト
スクラッチのステージ上でコードによって動くキャラクター。

ソフトウェア
コンピューターで実行され、コンピューターがどのように動くかを決めるプログラム。

データ
テキスト、記号、数などの情報。

デバッグ
プログラムのまちがいをさがして直すこと。

入力
マイクロフォン、キーボード、マウスなどからコンピューターに入ってくるデータ。

ネットワーク
データを交換するためにつなげられたコンピューターの集まり。インターネットは巨大なネットワークといえる。

パーティクルエフェクト
たくさんの小さなつぶをルールを決めて動かし、より大きな物

やパターンを表現する視覚効果。スクラッチで使う場合は、クローンを利用することが多い。

ハードウェア
コンピューターのうち、目で見えてさわれる部分。ケーブル、キーボード、ディスプレイなどのこと。

背景
スクラッチのステージ上でスプライトの後ろに置かれる画像。

バグ
ソースコードを書くときのまちがい。プログラムが思ったとおりに動かなくなる。

バックパック
スプライトやコードなどを別のプロジェクトに持って行けるストレージ（倉庫）。

ビットマップ画像
ピクセル（画素）を格子状に置いて画像を表現する形式。「ベクター画像」も参照。

ファイル
名前をつけて保管されたデータの集まり。

フラクタル
一部分を拡大したり縮小したりしても、同じようなパターンや形があらわれること。雲、木、カリフラワーなどに見られる。

プログラミング言語
コンピューターに命令を与えるために使う言葉。

プログラム
コンピューターが処理を行うために必要なまとまった命令。コンピューターはプログラムの指示にしたがう。

プロジェクト
スクラッチの1つのプログラム全体を指す。背景やスプライト用のコスチュームなどすべてがふくまれる。

ブロック
スクラッチの命令。他のブロックとつないでコードを作る。

分岐
プログラムの流れが2つにわかれていてどちらかを選ぶことになる点。スクラッチでは「もし〜なら…でなければ」のブロックを使う。

ベクター画像
図形の集まりとして画像を表現する形式。大きさなどを変えやすくなっている。「ビットマップ画像」も参照。

ヘッダーブロック
「緑の旗が押されたとき」など、コードの一番上に置かれるブロック。ハットブロックとも呼ばれる。

変数
プレイヤーのスコアなど、プログラムによって変えられるデータを入れておく場所。変数は名前と値を持つ。

メッセージ
スプライト同士で情報をやりとりする手段。

メモリ
コンピューターの中に組み込まれたデータを保管するためのコンピューターチップ。

文字列
文字を並べたもの。数字や句読点などの記号も入れられる。

ユーザーインターフェース
ユーザーがソフトウェアやハードウェアと情報のやりとりをする手段。「GUI」を参照。

ライブラリー
スクラッチのプログラムで使えるスプライト、コスチューム、音を集めたもの。

ランダム
プログラムの中で乱数を作る命令。ゲームを作るときに便利。

リスト
データのまとまり。データを番号のついた入れ物に入れて管理している。

ループ
プログラムの一部で何度もくり返される部分。ループを使うことで同じソースコードを何回も書かないですむ。

ローカル変数
1つのスプライトだけが中身を変えられる変数。スプライトをコピーしたりクローンを作ると、それぞれのコピーまたはクローンごとにローカル変数が作られる。

論理式
答えが「正しい」か「まちがい」のどちらかになる問い。スクラッチでは六角形のブロックになっている。

索引

◇この本を翻訳した人

山崎 正浩（やまざき まさひろ）

1967年生まれ。慶應義塾大学卒。第一種情報処理技術者。株式会社日立製作所に入社後、京王帝都電鉄株式会社（現京王電鉄株式会社）に移り、情報システム部門でプログラマーとして勤務。高速バスの座席予約システムのプログラム作成などに携わる。主な使用言語はC言語とRPG/400。2001年に退職し、現在は翻訳業に従事。訳書に『10才からはじめるプログラミング図鑑』『10才からはじめるゲームプログラミング図鑑』『たのしくまなぶPythonプログラミング図鑑』『たのしくまなぶPythonゲームプログラミング図鑑』『決定版 コンピュータサイエンス図鑑』（いずれも創元社）などがある。

本書の内容に対するご意見およびご質問は創元社大阪本社宛まで文書かFAXにてお送りください。お受けできる質問は本書で紹介した内容に限らせていただきます。なお、電話での質問にはお答えできませんのであらかじめご了承ください。

Scratch 3.0 対応版
10才からはじめるScratchプログラミング図鑑
2020年9月20日　第1版第1刷発行

著　者　キャロル・ヴォーダマンほか
訳　者　山崎正浩
発行者　矢部敬一
発行所　株式会社 創元社　https://www.sogensha.co.jp/
　　　　〔本社〕〒541-0047 大阪市中央区淡路町4-3-6
　　　　Tel.06-6231-9010 Fax.06-6233-3111
　　　　〔東京支店〕〒101-0051 千代田区神田神保町1-2 田辺ビル
　　　　Tel.03-6811-0662

　　　　ISBN978-4-422-41445-4 C0055
　　　　Printed in China

落丁・乱丁のときはお取り替えいたします。

JCOPY 〈出版者著作権管理機構 委託出版物〉
本書の無断複製は著作権法上での例外を除き禁じられています。複製される場合は、そのつど事前に、出版者著作権管理機構（電話 03-5244-5088、FAX 03-5244-5089、e-mail: info@jcopy.or.jp）の許諾を得てください。

本書の感想をお寄せください
投稿フォームはこちらから ▶ ▶ ▶ ▶